José Asenjo Sedano
Conversación sobre la guerra

José Asenjo Sedano

Conversación sobre la guerra

Premio Eugenio Nadal 1977

Ediciones Destino
Colección
Áncora y Delfín
Volumen 527

Consejo de Ciento, 425. Barcelona - 9
Primera edición: febrero 1978
Segunda edición: febrero 1978
Tercera edición: marzo 1978
Cuarta edición: abril 1978
ISBN: 84-233-0717-4
Depósito legal: B. 5426-1978
Impreso por Tecnograf, S. A.
Torras y Bages, 33. Barcelona - 30
Impreso en España - Printed in Spain

A mi padre, en el recuerdo.

Nosotros fuimos los niños de la guerra...

—MIRA la luna...
Oí la risa de la abuela que salía de su cara blanda, como de merengue, como de dulce de chocolate. Luego, con su bastón, señaló la luna llena, blanca, redonda, sobre el tejado. Todo el pueblo estaba apagado. Las casas parecían otras casas, más bonitas si quieres, más misteriosas, como si estuvieran hundidas en el fondo de un lago y, desde arriba, desde las aguas azules y quietas, se pudiera ver todo el pueblo metido allí, como en un sueño, en esa antesala de la muerte. Las torres, las chimeneas, las paredes blancas, con sus ventanas y cristales. Y el cielo azul claro donde seguía brillando y brillando aquella luna de papel de plata, muy limpia, clavada con chinchetas en ese otro papel del cielo.
Oí todavía la risa de la abuela, apagada en la seda de su pañuelo blanco y, luego, sus pasos de muñeca rota, tris, tras, tris, tras, entre las sillas, los sillones de terciopelo, las mesas limpias de pino y de caoba, las porcelanas, las alfombras de su salita que, de pronto, apagaban el tris, tras de sus pasos de gatito de Angora.
—Abuela, abuela...
Traté de llamarla. Y ella volvió a su risa de bombón de nata, de pastel de fresa. Yo veía, sólo veía su risa moviéndose entre las sombras de la sala.
—Ya voy... Ya voy...
Porque me empeñaba en que ella volviera a mirar la luna. Lo único que brillaba aquella noche silenciosa del 36, en la que todo se había detenido de repente y nadie hablaba, nadie decía nada, sino que cada cual estaba en su casa, detrás de esos espejos claros, las ventanas, como charcos de luz. Oí otra vez sus pasos

y el punteo del bastón que hablaba por su cuenta.
—Nos hemos quedado solos...
Porque, en aquella oscuridad, ya no había nadie. No se veía a nadie. Todos se habían hecho invisibles. Era un juego que tenía su interés, porque había que adivinar dónde estaba cada uno. De repente, dejé de oír los pasos y la risa de la abuela y me sentí perdido del todo. Ya sólo quedaba yo en el fondo de la oscuridad del cuarto, de la casa, del pueblo y del mundo. Eso fue lo que ocurrió. ¿Me había muerto? ¿Sería que de pronto había desaparecido yo de entre los vivos? La muerte es negra. Negra como una noche cerrada. Negra como la sotana de un cura. Negra como el velo de luto de la abuela. Como un pozo. Como la quitina de un escarabajo. Como la boca de un lobo...
—Abuelaaaa...
Debía estar jugando ella también.
—Abuelaaa...
Seguí gritando, bebiéndome mis lágrimas, sentado en el suelo, gateando las patas de la mesa, de las sillas...
—Abuela...
La traicionó de nuevo su risita delgada, como un grito que se estira.
—Estoy aquí.
Me dijo luego:
—¿Te has asustado?
Era verdad: me había asustado. Había tenido miedo. Porque me había perdido en medio de la selva, y tan altos eran los árboles, que nadie podía ver el cielo. Eso era lo que había pasado. Cogería mi espada y cortaría todos los árboles hasta salir fuera, donde

brilla el sol. Por eso me puse a gatear de nuevo, a seguir aquella pista de su voz, de su risa de azúcar, pegajosa, a la que veía mi oído, mis orejas levantadas como las de un podenco. Ahora yo era un perro, un galgo estirado que husmea por los rincones y que camina a saltos, bailando, sin posar nunca las patas en el suelo. Va por el aire, ¿te has fijado? Yo también iba por el aire. ¿Has visto sus ojos? Me volví para verle los ojos, como de cristal, como dos piedrecitas oscuras y brillantes metidas en la cara del perro. ¿Los has visto? Me sequé las lágrimas y sentí dentro de mí aquellos ojos vivos, como dos ascuas encendidas, como dos florecillas que se movieran por el impulso del viento.

—Vamos, perrito, vamos...

Moví la cola y estiré las manos, la lengua colgando entre mis dientes, como una hoja verde que llegaba hasta el suelo.

—¿No vienes?

Me preparé a dar el salto, todo el cuerpo pendiente de ese solo impulso de mis patas, como si fuera un resorte.

La luna seguía viva. Parecía el fondo de agua de un cubo en el que se mirara la luna.

—¿No vienes?

Otra vez la vocecita de la abuela, que estaba escondida en alguna parte de la sala, detrás de un sillón, de la puerta, acurrucada en la mecedora. Todos los muebles estaban alertas, con sus orejas de fieltro, de madera o de metal. Aguantaban la respiración. Jugaban al escondite, unos de mi parte, otros de la suya. Yo sólo esperaba que me soltara el hilo dulzón, en

almíbar, de su vocecita blanda, como que se deshacía sólo al tocarla, como un pitisut.
Esperé curioso que su voz me instara de nuevo a ese salto definitivo. Por eso movía la cola y creo que me puse a ladrar, las orejas gachas, acentuando el brillo de los ojos, como dos alfileres en mitad del cuarto. Pero sólo me vino de pronto su llanto. Como si todo el pastel de su rostro y de su voz se le hubiera caído de las manos y llorara por eso, porque lo había perdido. Era una risa de mujer vieja. De mujer cansada. Todos los años los cumplía con ese lloro con sonido a trapo viejo, a toque de iglesia, a perro al que de pronto le roza la muerte. Tuvo que llorar para que yo la viera, pálida, como una flor deshojada, todos los pétalos rociados en su falda. Ni le llegaban al suelo sus zapatitos de charol. Sólo llegaba la punta metálica de su bastón helado creyéndose un bastón de mando alemán. Le quise quitar las manos de la cara, para verle los ojos anegados y la boca como una flor de papel pintado, manchada, lo mismo que una historieta. Yo sé que lloraba porque pensaba en algo. En su hijo que se fue a la guerra. Yo mismo le vi saltar la tapia y huir en una nube de polvo. Salimos corriendo hasta la era, donde se recogían las últimas trojes, como agujas doradas, brillando la paja en manos del viento. Se volvió para decirnos adiós y le vimos la cara bajo la media sombra del sombrero. Por eso lloraba. Porque se acordaba de su hijo (como una espiga, como un lirio del campo, como un grito de hombre) que no había querido escucharla y quedarse aquí, entre nosotros. Tu patria es ésta: tu madre y tu casa. Y tus hermanas, aun cuando estén locas perdi-

das. Pero no quiso oír los consejos de una vieja. No quiso ella que le quitara las manos del rostro, porque no le viera en la nariz y en los ojos y hasta en el pelo la cara de su hijo que estaría lejos, cualquiera sabe dónde. Por eso se defendía en la mecedora, moviendo, como un saltamontes, sus piernas delgadas, dobladas y encogidas, de insecto rebelde y peligroso. Tuve que separar sus dedos para ver rectángulos de su cara, manchada de polvos y de rosa. Estaba disgustada y más, porque había forzado su secreto y no la había dejado sola, escondida en la oscuridad, sin luz y sin ruidos. La besé en la frente para consolarla y volvió a convertirse en la muñeca de china de antes, porque se echó a reír y se desnudó la cara y dejó que yo le viera sus grandes ojos negros...

—Abuela, vamos a ver la luna...

—No, la luna no; la luna me hace daño.

Fue caminando como encogida, tris, tras, tris, tras, para cerrar el postigo, para que la luna loca no se asomara a la casa y volviera, como antes, a descubrirla en la butaca.

—No la quiero ver, ea.

—¿A qué jugamos, abuela?

Oí sólo el punteo de su bastón, que se ponía firme en mitad del cuarto. La bota, el sable, la mirada de hierro de aquel mariscal *heil Hitler*.

—No, abuela: a los mariscales, no. Me dan miedo los mariscales.

La casa estaba de noche.

—Entonces vamos a mirar el pozo.

—Eso; vamos al pozo.

Una vez sacaron del pozo a una mujer ahogada: Ger-

trudis, blanca como el papel. Tenía las manos anilladas de gladiolos. La dejaron sobre la hierba, tan delgada, con su pelo de hilos y margaritas. Todo su vestido era de seda y los bordados del pecho, de plata.

—¿En serio, abuela?

Otra vez al rey de España se le cayó ahí un anillo de oro, con un brillante. Tuvieron que bajarse cuatro infantes para encontrarlo.

—¿Y lo encontraron?

—Lo encontraron en la barriga de un pez, que nadie supo cómo había llegado hasta aquí.

Oí su risa de pastel, como antes, mientras andaba apoyada en su bastoncito, que era como el anca de una rana. Apenas si hacía ruido sobre las baldosas. Caminaba despacio. Por la cristalera del pasillo pasaba el resplandor de la luna. Siseaba un búho en la copa de un pino.

—Y tú, abuela, ¿tú no has bajado nunca?

—No, yo no he bajado.

Y se reía, dejando que se le descolgase el labio y le brillara el colorete en sus mejillas.

—Abuela, ¿y a qué vino aquí el rey de España?

—Vino en busca de la bisabuela María del Carmen, de la que estaba enamorado.

—¿El rey de España?

Asintió con una risa de florecillas pálidas, que le volaban sueltas de los labios. No sé por qué le hacía tanta gracia nombrar al rey de España, al que, seguro, ella veía jinete de un caballo, con su pluma y su sable en la mano enguantada. La abuela no concebía a nadie importante que no fuera subido en un

caballo y llevase guantes para la guerra. Iba delante de mí guiándose por el paso de su bastón enseñado, que se sabía bien el camino y que nunca se equivoca.
—¿Nunca?
La abuela volvió la cabeza y dijo:
—Nunca.
Otra vez, cuando la guerra contra los franceses, el pozo estuvo manando sangre dos semanas seguidas. Toda la tierra se anegó de aquella agua ferruginosa que empapó las hortalizas y hasta la raíz de los manzanos. Durante varios años todos los frutos parecían tomates, tan rojos y tan brillantes. Se arrancaban las matas, los arbustos, los árboles y, enseguida, volvían a brotar otros ensangrentados y dulzones. La gente empezó a hablar mal y, un día, se presentó en nuestra casa un escuadrón francés y fusiló en el patio a los tres hermanos de la bisabuela. Entonces dejó de manar aquella agua misteriosa.
Oí su vocecita como de cristal, tapado de encaje y, otra vez, sobre el empedrado, el tris, tras de sus pasos y el bastón, más serio, iluminado por la luna que hacía relucir las paredes blancas del patio. Ahí cayeron Ginés, Manolo y Luis Alfonso, los tres hermanos solteros de la bisabuela. Y señaló con la punta plateada del bastón. Y allí estaban los tres, la camisa abierta, manchados de pólvora negra, sobrevolados por millares de insectos y mariposas que, con aquella luz, se habían colado por encima del tejado.
—Los tres se parecen a mi hijo.
Y otra vez la voz se le rompió como el vidrio entre los dedos finos, descarnados, con los que ella se sujetaba el rostro de mujer atormentada. Espantó a

las mariposas, que se deshicieron como cristalitos, para que también se fueran ellos, que se borraron en seguida y sólo quedó la sábana blanca de la luna tendida en el suelo, entre los rosales y la hiedra. En medio, con su brocal y su garrucha, estaba el pozo extraño.
—¿Y qué más, abuela? ¿Qué más pasó en este pozo?
Otra vez su hilo de risa, blando como la pulpa del caqui, dorada y dulce.
—Cuando nació mi hijo le dije a tu abuelo: Anda, tráeme un cubo de agua del pozo. ¿Para qué? Tu haz lo que yo te mande. Vino con el cubo, lo puso en medio del cuarto y le dije: Ahora baña al niño.
Se le debilitó la voz y tuvo que apoyarse en la pared.
—Lo bañó y el niño sonreía lo mismo que un querubín. ¡Con qué dulzura sonreía aquella tierna criatura!
La abuela destapó con sus manos blancas la tapa de hierro que cerraba el pozo y, dentro, resplandeciente, con su corona de azucenas, vestida de novia, estaba la bisabuela María del Carmen como estaba el día en que se fue a la iglesia a esperar la llegada del rey para casarse. Como el rey no vino, ella fue y se arrojó al pozo. Me asomé para verla bien y le vi las manos como la cera, pequeñita y hasta graciosa, con aquellos labios de cereza que se le habían enfriado y los ojos como alas azules y violetas de pájaros mariposas. Olía a jazmín y a galán de noche. Todo el patio se impregnó de aquel perfume invisible. La cuerda de la que pendía la balanceaba como a una virgen de marfil y porcelana. ¡Qué linda estaba la bisabuela María del Carmen!

Cerramos la tapa y la abuela me recomendó que no le contara a nadie este secreto.
—No se pueden echar flores a los puercos, lo dijo el Señor —mientras, me acariciaba los cabellos y me besaba con sus labios tiernos con sabor a membrillo.

HACÍA calor. Como que se descoló el gallo de la torre y la sangre se le hizo pintura negra que fue goteándole, por las patas, al tejado. Tanto sol, que hacía daño en las sienes, en la espalda y en las manos, y nadie se atrevía a poner los pies en la calle y menos a salir corriendo. Desde por la mañana, desde tempranísimo, el sol, como de paja, quemaba y brillaba justo sobre la plaza, sobre el pilón, sobre la acacia, con sus hojas verdes enfrente de la iglesia. Tan seco el camino y tan secas las casas, con las fachadas a cal y canto, por miedo a que el horrible calorín se les metiera por dentro. No se recordaba un año tal y, por eso, aguardaban todos a que pasara la hora blanca, como de tela de algodón, en la que parecía dormir, a pata suelta, el verano. Mi madre, desde la ventana, mirando al patio, me dijo que no me moviera, que se habían oído disparos de escopeta y que a lo mejor era pelea, porque se sabía que la guerra había empezado y ya algunos, aquella noche, habían intentado meterle fuego a la iglesia. Hasta se habían llevado al señor cura a las afueras, vaya usted a saber, que no quisiera ella estar en su pellejo. Me puse las manos en los ojos para verla en la ventana, con la camisa blanca, el pelo rodete y las manos y los brazos gruesos y desnudos cuando sacaba el pecho y la ropa mojada que colgaba de la cuerda. Me deslumbró cuando vi sus ojos (grandes, su boca tierna, muy roja, y los dientes como pepitas o pedazos de nieve que se le helaban en la boca). No estaba yo conforme con quedarme plantado, y más si sonaban tiros allá, por la parte del cañaveral, junto a la ermita, donde alguien, que no se sabía, hacía frente a la fuerza pública y se

veían lengüetazos de llamas sobre el molino viejo, seguramente fruto de los incendiarios que, desde hacía una semana, tenían aterrorizado el valle y amenazaban a los campesinos con abrasar sus cosechas si no se venían a su parte. De allí trajeron cosido a balazos a Tristán el Fuerte, llamado, también, Tristán el Republicano, quien había estado pegando tiros hasta el amanecer. Ahora yacía junto al pilón, frente a la iglesia, a la sombra de la acacia. Alguien le había tapado medio cuerpo con una manta y dejaba salir sus piernas y sus manos, regordetas y sucias, con las uñas endurecidas, como las de un lobo. Decían que tenía los dientes rotos por el bofetón de la metralla.
Más todavía me chilló mi madre, desde la ventana, para que no se me ocurriera ir a la plaza, ni al pilón, ni a la acacia y menos ver al muerto, que luego te pones a soñar y no hay quien te aguante. Pero a mí me tiraba como un imán el contemplar al yacente al que, de lejos, veía rodeado, como moscas, por un corrillo de gente aletargada. En cuanto pude, ya tarde, me escapé a la plaza y vi las botas y las manos del muerto, que en mucho tiempo no se me quitaron de la cabeza. De noche estaban en el aire, como fantasmas, y de día asomaban por debajo de las mesas, de las alfombras y de las puertas a medio cerrar.
El Tristán era aserrador. Le habían quemado el taller y las herramientas. Todas las ventanas de su casa estaban negras por el fuego. Mi padre, sentado a la mesa, se lo había estado contando a mi madre, a las tías y a la abuela, quien colgaba sus pies de la mecedora y se mecía y se abanicaba al tiempo que miraba fija a mi padre. La ventana estaba abierta y entraba

el olor blando, pastoso, de los caquis maduros. La lámpara, sobre la mesa, tenía como alas de un sombrero y quedaba su sombra sobre la pared, sobre el chinero y sobre las sillas de madera alineadas. Mi padre, mientras ponía el chorro de vino en su boca, hablaba de forma interminable, y a mí, adormilado, me parecía que la lluvia estaba cayendo sobre las hojas de la parra, debajo de la ventana, con su goteo remolón y dulce que, de vez en cuando, me hacía estirar de repente la cabeza y cabecear en el sueño, como agarrándome fuerte a la vida. Seguía la voz recia, borrosa y brumosa de mi padre y yo veía los rostros de las cuatro mujeres (Peregrina, del color del papel; Espíritu Santo, dominante y calurosa; mi madre y la abuela, mece que te mece). La luz se fue apagando. Las voces también. Todo fue desapareciendo, haciéndose ceniza y, luego, agua de estanque. No sé si aquella noche, en sueños, oí otra vez disparos por la parte del río. Me pareció ver a las tías asomadas a la ventana y decir: Es en la ermita. En la ermita. En la ermita... Me vino un golpe de risa de la abuela. La vi queriendo, a duras penas, apearse de la mecedora, sin soltar por nada el abanico. Por la ventana, sobre las cabezas de las tías locas y de mi madre, saltaban relámpagos de luz, como cohetes, como lágrimas blancas, verdes, rojas, que caían iluminando la vega. La vi empujar a las tías queriendo mirar mientras se abanicaba y repetía: San Hilarión, con su violón; San Hilarión, con su violón...

Tenía que hacer mucho calor, porque todas las ventanas y balcones estaban abiertos y venía de la calle como un rumor de cazuela, de olla hirviente, que era

el volar de tanto insecto, de tanta mariposa, de tantos saltamontes, de tantas libélulas, que se estrellaban en las paredes, lo mismo que balazos, y salían encendidos por las otras ventanas o se remontaban hasta la torre de la iglesia, donde acribillaban a la campana. Ni una brisa de viento: todo tan espeso, como si una vaca mansona hubiera relamido la noche. Hedía la tierra y las chicharras se expandían al pie de los tilos, entre las hortalizas, al filo de las acequias y los pozos artesianos. ¡Qué navajazo daba la luna sobre los álamos, dejando abierta una herida de luz, de plata, que partía la vega!

—Vamos a ver qué le pasa a mi niño —oí en mi oreja la voz, como leche caliente, recién ordeñada, todavía espumosa, de la abuelita buena—. ¿Duermes? ¿Estás dormido?

Sentí sus labios, sus ojos, sobre mi cara, aquellos dos fondos marinos, con sus pestañas, con las bolsas que le colgaban a un lado y a otro de la nariz afilada. Me abanicó con su abanico de papel de acacia, con pinturas de toreros y de toros, y abrí mis ojos sintiéndome feliz, como si todo el mar, con sus papelillos azules y su espuma de terciopelo, viniera escondido entre las varetas de su abanico. Por eso, no sé por qué, le dije huele a mar. Y ella se echó a reír, aguantando la risa con el pañuelo, con su mano de palitos de santo, perfumada, porque, por la ventana abierta, ahora, se colaban los lamentos, los ayes y los desmayos de los parientes de aquel Tristán el muerto, que velaban junto al pilón, junto a la acacia, frente a la iglesia, su cadáver acribillado a tiros por los insurrectos. Salió, tris, tras, al balcón apoyada en su vara amiga, y se

puso a regar las macetas con la regadera. Volaron cuatro mariposas azules y un pájaro con el pico muy largo. Otro se le paró en el hombro y ella lo abanicó, vamos, vamos, para que no le diera miedo echarse a volar.

—No debe de ser fácil, abuela, volar en la noche.

Ella se sujetó la risa, mientras los hilos del agua caían sobre las hojas verdes, sobre las florecillas rojas, sobre la tierra del castaño, oscura, donde ella manipulaba retirando, con los dedos, briznas o raíces secas. Todo el patio estaba desnudo. Lleno de sombras los parterres, cubiertos de hiedra amorosa. Los arcos de las galerías, los rosales y el pozo, con su cubierta de hierro cerrada. Pero, a pesar, sobre el tejado pasaba el llanterío de los Tristanes, de su mujer y sus cuatro hijos, de su nuera y sus demás parientes, venidos de lejos, quienes rompían el silencio del pilón a la acacia. Porque ya no valían de nada las palabras, ni las quejas, ni los ayes, ni los si no hubiera salido, ni los si se hubiera quedado en casa... Y eso era lo que más lloraban: ese no poder ya nunca hacer nada, nada, nada. Porque ni siquiera el muerto les servía.

Oí a las tías locas reírse en el dormitorio. Luego, llorar. Luego llamaron a la abuela, y ésta, cojeando, diciendo desdichadas niñas, se asomó a la puerta del cuarto. Si no os dormís llamo al Zaraguato. Nadie sabía quién era ese personaje. Ni dónde había vivido. Ni qué cara tenía. Pero aquel nombre tenía propiedades mágicas y, a su conjuro, las dos niñas locas se tapaban la cabeza y decían el Zaraguato, no; el Zaraguato, no... Yo veía a la abuela severa en la puerta, el dedo firme en el labio, mandándolas callar. Se retiraba

despacio, meneando la cabeza, contrariada con la locura de aquellas dos mujeres a las que, en vida, su padre no había dejado casarse...

—¡Qué desgracia! —repetía—. Y quisiera que las hubieras visto de niñas. No había niñas más guapas que mi Peregrina y mi Santo. Hacían gentes.

Y era raro, porque unas veces parecían locas, y otras no. Unas veces parecían serias, y otras no. Unas veces parecían guapas, y otras no. Era muy difícil clasificarlas, decir de manera definitiva son así, de esta y de esta manera. La verdad es que ellas cambiaban según el día, según la hora y según las ganas que tuvieran de cambiar. En realidad, como decía mi padre sentado a la mesa, tirándole bien al tinto, en realidad toda la culpa la tiene el mal de amores, ese querer y no poder, que les había puesto pajoleras las cabezas. De noche se las oía como ánimas en pena. Abrían la ventana y maullaban, parecía, lo mismo que gatos. Por la mañana, temprano, cuando yo esperaba verlas muertas, me las encontraba frescachonas, medio en cueros, lavoteándose el cuerpo en la pila vieja, detrás del caqui, en el huerto. Las palomas revoloteaban y el cielo era de un azul limpio, transparente, que daba gusto mirarlo. Se ponían a correr en torno a la fuente de los patos, a volar las palomas, a correr los gallos que saltaban desde la tapia y que formaban un cacareo tremendo. Todo el huerto se llenaba con las plumas y con las risas locas de aquellas dos mujeres locas, que tenían las piernas largas, blancas y bellas. Los albañiles y los jornaleros que, al otro lado de la tapia, tenía el capataz Melero, se subían a escondidas para verles el culo a las locas. Algunos habían chuleado

por ahí diciendo que habían sobado a la Santo y a la Peregrina, pero esto era sólo de boquilla, que no había quién se atreviera a saltar la tapia de los Fernández, la nuestra, por las represalias del tío, que era el que se había marchado a la guerra, y por el genio de la abuela.

Me acuerdo que, aquella noche, con la cosa del muerto, con ese saber que estaba en la plaza y que venían y no dejaban de venir los lloros, los gritos, las palabrotas de los Tristanes, no se me hacía el cuerpo a dormir, y, a pesar del calor, de que el sudor se me hacía caldo en las sábanas, de que estaba casi a un punto de la asfixia, me pasé la noche con la cabeza tapada, defendido del condenado fantasmón del Tristán, cosido a balazos y con los dientes rotos con el bofetón de la metralla. Yo había visto muchas veces a los lobos y a los zorros, secos ya, rellenos de paja, cruzados sobre burros, con la fila de dientes apretados, lo mismo que peines. Y hasta así me daba no sé qué repeluzno de pasarles la mano por la piel y mirarles los ojos ciegos, por donde, seguro, seguían mirando aquellas fieras del monte, que son capaces de cargarse a un hombre y dejarlo tieso. No se retiró hasta la madrugada el llanterío. Era (dicen) el primer muerto de la guerra, y allí estaba el hombre, abierto de piernas, con sus botas y con sus manos como dos pelotas peludas, que ahora parecían de goma sucia y amarilla. Me despertó el quiquiriquí y el chicoleo de las dos tías, como siempre, andando a saltos por el gallinero, bañándose en el lebrillo y saliendo desnudas a la tapia para ver si los hombres del capataz habían advertido el alboroto. Pero aquella mañana todos esta-

ban en el entierro de aquel hombre, con los sombreros de paja y el sol grande y apiñado abrasándolos, quemándolos a todos, dejando en el viento un relumbre de mies que fue arrastrando, como una nube, hasta lejos, hasta los troncos dorados y encalados de la carretera. Allí, pasada la curva, más allá de las cuatro casas, una montada sobre la otra, con su doble tejado y su balcón de madera donde colgaban los pimientos, estaba la tapia del cementerio, con su puertecilla sin llave ni cerrojo a cuyo través (y yo lo había visto muchas veces) se veían las tumbas, las fosas, los ojos de los nichos, las cruces de palo, los mojones de ladrillo, bajo los cuales yacían los muertos. Todos estaban en ese entierro laico, sin cura y sin campana, sin gorigori y sin velas, que era el entierro de nuestro convecino Tristán, el Republicano. Como que lo envolvieron en una bandera tricolor, con la estatua de la Libertad bordada. A falta de pan, con el puño cerrado, los suyos, los que estaban dispuestos (juraron) a cobrar su sangre, le cantaron, a coro, *La Marsellesa.*

LA muerte del Tristán fue como cuando sale la riada y todo se lo lleva por delante. Todavía, mirando desde la ventana, recuerdo yo el gentío junto al pilón y la acacia donde, a pesar de la hora, seguía yacente el cuerpo de aquel hombre tapado por aquella manta horrible que dejaba fuera las botas y las manos sobre las que volaban enjambres de moscas codiciosas del olorcillo terroso del cuerpo. El sol caía sobre el pueblo como una sábana de luz. A hombros, en cuanto José el de Antolín le terminó y le forró la caja, se le llevó al cementerio y se le dio sepultura laica entre el llanterio redoblado de los Tristanes y los gritos enardecidos de sus partidarios, quienes arrojaban frenéticos, en homenaje al muerto, puñados de tierra blanda sobre la tapa del ataúd, al tiempo que, algunos, con osadía, hacían descargas de pistola y fusilería desde un balatillo cercano. Al regreso, en el lugar exacto donde había pernoctado el cadáver, alguien dibujó con esmero la hoz y el martillo y repitió una y otra vez, machaconamente, que la revolución iniciada ya nunca, nunca, nunca se detendría (marcando cada *nunca* con un golpe de la mano) mientras existieran mártires como aquel Tristán el Republicano, cuya sangre derramada por los enemigos del pueblo, por los enemigos de la libertad, todavía (señalando) está caliente aquí, sobre esta arena que todos estamos ahora contemplando... Centenares de ojos se quedaron de repente sobrecogidos, clavados en aquel círculo oscuro, en aquella sombra alargada, como prendida en el polvo, que era la última huella de Tristán el Fuerte, lanceado y muerto allí, en mitad de la plaza, frente a la iglesia, bajo la sombra de la acacia,

junto al pilón, como si se tratase de un toro bravo y noble.

Yo me pasé el día en mi atalaya olvidado de los míos, con medio cuerpo colgado, haciendo balancín, a punto de estrellarme contra el suelo, sin poder, tampoco, separar mi vista de la sombra, que ya no era sombra, de aquel muerto, que tampoco era ya un muerto como los otros muertos...

Todo el día estuvo el pueblo sacudido por la tensión de los discursos, hasta el punto de que no se abrió ni una ventana, ni un balcón, ni una puerta de los llamados reaccionarios e insurrectos, quienes soportaron, con más temor que paciencia, los insultos, las amenazas y hasta los intentos de allanamiento basados en los títulos de las llamadas libertades.

La abuela, por si las moscas, le había pedido a mi padre le cargara la escopeta de pistones, que puso apontocada detrás de la puerta, por si a alguno de ésos se le ocurre pisar esta casa.

No por eso se fue el calor. Más pesado que nunca. Como que el cielo parecía de talco, tan luminoso y tan pesado. Sobre la blancura destacaban, alineadas, las casas, con sus tejados ocre, encaramadas, algunas, a la falda del monte, con la iglesia asomando sobre todas. Estaban las acacias, las moreras, los álamos y nuestra casa: la casa grande de los Fernández, la más blanca del pueblo (también la más antigua), con su portalón, sus balcones y sus cuatro ventanas. Nadie se atrevió a poner su mano ni en la aldaba ni en la puerta, sino que, los más osados, se limitaron a pasar por delante y a gritar, desgañitándose, para que la abuela pudiera oírles sus denuestos. Era entonces

cuando ella, mentalmente, repasaba los orígenes familiares de cada uno de aquellos ofensores, desde sus padres a sus abuelos, quienes, en alguna ocasión, habían servido en aquella casa.

—Y todos eran decentes — remachaba mirándonos a todos —. Yo no me explico — mirando de nuevo a la calle — qué es lo que le ha pasado de pronto a esta canalla...

Aquella tarde, junto al molino viejo, detrás de la ermita, apareció, asesinado, el padre Liberado, tan viejecico, con su pelo blanco, con sus manos pequeñinas pequeñinas, como que era incapaz de matar una mosca. Vivía en una casita blanca junto a la iglesia. Con su balcón, sus geranios y su tontería por los pájaros, porque tenía la casa llena de canarios y de periquitos y de no sé cuántos más y se les oía arrullarse y cantar en cuanto apuntaba la primavera. Todos los días, metódicamente, abría la puerta de su casa y a la misma hora, iba al pie de la torre a tirar de la cuerda y el cielo se despertaba y se estiraba con aquel repique que volaba hasta lejos, por los aires. Apareció ejecutado, pobrecillo, llevando en las manos, protegidos, dos huevos de verderón, los mismos que llevaba cuando lo sorprendieron en su casa y se lo llevaron al *paseo,* no porque tuvieran nada en su contra, sino porque, al decir, era lo que se estaba haciendo en todas partes y este pueblo no va a ser menos que los otros. Don Liberado, en honor a la verdad, pegado a la tapia, caído de culo, parecía tomar tranquilamente el sol y miraba fijo, sonriente,

con aquellos dos polluelos de verderón que estaban a punto de florecerle en las manos.

Fue eso lo que la abuela le echó en cara a todo el pueblo cuando, aquella misma tarde, se fue derecha a la iglesia, la abrió de par, encendió las velas y ella misma tocó a duelo. Y nos dijo que ese crimen, la muerte de don Liberado, que era un santo, era una mancha para todos, lo mismo para la izquierda que para la derecha. Nunca creí que la abuela tuviera aquella energía, pero sí que la tuvo, puesta de pie en el atrio, empuñando su vara y culpándonos a todos.

—Porque ahora nadie bautizará a vuestros hijos, que serán moros. Nadie casará a vuestras hijas, que serán unas perdidas acostándose con hombres que no serán, por mucho que quieran, sus maridos. Nadie os dará los Sacramentos y nos iremos a los puros infiernos... Más le valiera al asesino que se hubiera atado al cuello una rueda de molino y se hubiera tirado a una alberca...

Ni los más avanzados se atrevieron ese día a contradecir a la abuela. La vimos nosotros desde el balcón cuando volvía enlutada de la iglesia, dando zancadas con el bastón, sin quitarse de la boca ese masculleo de palabras que nadie hubiera podido, en ese momento, arrancarle. Se hizo un silencio en el pueblo. Como si de pronto todos lo hubieran abandonado y sólo hubiera quedado vivo el eco, el plaf, plaf, de la punta de su bastón, mientras caminaba sola, erguida y renqueante, arrastrando a su paso el ayer y el anteayer de aquel pueblo más suyo que de nadie.

—Habéis olvidado demasiado pronto que él le dio la bendición a vuestros hijos y a vuestros muertos

— dijo en un repente, volviéndose y mirando las ventanas vacías de la plaza —. Os habéis vuelto todos un hatajo de cobardes.

En realidad, tanto los unos como los otros sabían perfectamente que don Liberado era un bendito y que a nadie se le puede matar porque le gusten los pájaros y tenga su casa llena de colorines...

CLARO que la guerra es un huracán que todo lo va barriendo. Lo que ayer parecía imposible, hoy era ya completamente normal. Las cosas sucedían porque tenían que suceder, porque todo va unido con todo y cada día trae su propio afán. Pero, a pesar, al olvido de unas muertes, en seguida sucedía el horror de las siguientes. Era como si el viento, con su prisa, fuera repartiendo ese mensaje tembloroso y apocalíptico. Se miraba al cielo, y se le veía tupido, azulado viejo, como si estuviera a punto de cansarse y nos amenazara con derrumbarse sobre nuestras pobres casas. Esa sensación que yo sentía me daba cuenta la sentían, también, los demás, y por eso, algunas tardes, veía yo cómo mi madre venía al balcón y sin decirme nada me obligaba a salir y cerraba. Entonces todo quedaba lejos. Como si de pronto me hubiera puesto las manos sobre los ojos para anular el mundo que me rodeaba. Me sentaba en el suelo y me ponía a mirar lo que hacían los demás. Cómo la abuela dormitaba en su mecedora, cómo a veces abría los ojos y se me quedaba mirando, cómo arrugaba, doblaba y desdoblaba su boca de cereza madura y llamaba a mi madre y le decía esto o aquello, que ella escuchaba sumisa, sin quitarme los ojos, como si, a cada instante, temiese que el suelo se abriera y yo pudiera precipitarme en su sima. Por eso venía y me decía, levántate del suelo, siéntate en una silla. Y yo me levantaba y me sentaba en una silla y me pasaba el tiempo, no sé cuánto tiempo, silencioso y grave, oyendo, imparable, el compás de un reloj que me sonaba por dentro. Un día se lo dije a la abuela y, ella, riéndose, me dijo: Tonto, ¿no ves que es el corazón? Para mí fue un des-

cubrimiento maravilloso: saber que todos llevamos dentro una especie de reloj de verdad, sin cuerda, con su campanilla y su péndulo, que nos acompaña a todas partes y que se puede escuchar perfectamente con sólo colocar la yema de los dedos sobre la parte izquierda del pecho. Y me quedaba las horas escuchándome a mí mismo, como si dentro de mí hubiera un mundo distinto a este mundo...

—Cuando el corazón se para, todo se para... — me dijo, también, la abuela.

—¿Y todos tenemos corazón?

—¡Pues claro!

—¿Y los pájaros también?

—Naturalmente. Todo lo que vive tiene corazón. No sólo los animales, sino hasta las plantas.

Entonces descubrí que el corazón es algo fundamental, genial, fabuloso.

—¿Y Dios? — le pregunté una tarde —. ¿Dios también tiene corazón?

Aquella tarde la abuela se echó a llorar de repente y yo vi cómo se le corría el rimmel, el colorete de la cara, convirtiéndola, de pronto, en una figura de comedia, en algo que no parecía todo lo real que era. Se sacó el pañuelo, se sonó la nariz y, cuando se calmó, me dijo que Dios era todo corazón, un corazón infinito, un corazón siempre amando...

—Si no fuera así, ¿tú crees que no se habría ya hartado de nosotros?

Esto le costó, como digo, tener toda la tarde el pañuelo en el ojo, moviendo la cabeza, ay Jesús, ay Jesús, diciendo, también, que todos estábamos irremisiblemente perdidos, porque los pecados del mundo

son muchos, infinitos, subrayaba, y no tiene nombre la ingratitud humana.

Abría el balcón y se quedaba muda contemplando la torre de la iglesia, de donde ya no salían, como flechas, las zuritas de don Liberado. Hasta el cielo parecía ahora distinto. De repente, parece como si al mundo, o a la vida, o a las cosas, le naciera una enfermedad y toda la naturaleza gimiera por efectos de ese mal.

—¿Y qué enfermedad es ésa, abuela? — le preguntaba yo, tirándole de la toca.

—La locura — me contestaba —. ¿Qué enfermedad puede ser?

Días después alguien vino contando que el matador de don Liberado (un individuo oscuro, un individuo apenas sin identidad, un individuo al que nadie terminaba de concretar) se había colgado de un árbol y su cuerpo había aparecido en el campo, entre los olivos. Con la emoción, mi padre se lo contaba a la abuela, la abuela a mi madre, mi madre a las dos tías solteras, quienes escuchaban silenciosas, en tanto yo veía, como en un espejo, los rostros enrojecidos, pálidos y hasta blancos de todos ellos. También me parecía que estaban hundidos en el agua y que yo, al moverla con mis manos, los hacía desaparecer y emborronarse hasta que luego, poco a poco, volvían a componerse las figuras.

—Ese quien sea — le oí comentar a la abuela al día siguiente, mientras regaba las hortensias — ha muerto como Judas... Reventado como un ciquitraque.

Yo la seguía de acá para allá, oyéndola repetir mil veces la misma cosa. Eso es, como Judas... Como

entraban moscas, me dijo, cierra los postigos, porque estaba segura de que aquéllas venían de olerle la lengua al muerto y por eso no quería verlas en la casa. Hasta desenrolló en el pasillo dos tiras de pegamoscas para que fueran cayendo, y allí las veía yo aleteando y pataleando, queriendo escapar.

Y todo el mundo estuvo cierto, sin conocerlo, sin ni siquiera estar seguros de haberlo visto alguna vez, sin tener valor para mirarle de cara la cara, todo el mundo dio por hecho que aquel desgraciado había sido forzosamente el asesino del pobre cura pajarero. Porque, ¿quién de este pueblo podía hacer una cosa semejante? ¿Es que acaso no sabíamos todos quién era don Liberado? Y de esta forma se quitaron de la conciencia aquella mala muerte que les pesaba como una losa y que los amenazaba, cada vez que miraban la torre, con aplastarlos, ahogarlos y asfixiarlos.

Hasta se notó cierta actividad en el pueblo. La gente volvió, de nuevo, a hablar del cura, y hasta hubo quien se atrevió a llevarle un ramo de siemprevivas a la tumba.

Y fue más: los miembros de todas las Uniones, Federaciones y Coaliciones, como prueba ostensible de la bien llamada justicia popular, que premia a los buenos y castiga a los malos, celebraron públicamente un mitin en desagravio de don Liberado, quien, desde la fría pared de un retrato gigante, sonreía tímidamente a sus feligreses, satisfecho y feliz de aquel encuentro.

—Porque don Liberado, ahí donde lo tenéis, era también un digno miembro de esta comunidad. Porque don Liberado era parte de todos nosotros. Por-

que don Liberado era incapaz de matar una mosca. ¡Porque él era pueblo, como pueblo somos nosotros! ¡Y el asesino del pueblo es también nuestro asesinooooooo!...

La abuela, el balcón entornado, oía toda aquella palabrería que salía de la boca de Pedro Crisólogo, el carpintero, haciéndose embudo en la oreja, con la mano, para que no se le fueran las palabras. El Crisólogo hablaba desde el pretil, los brazos levantados, descargando, a veces, el peso de sus puños sobre un enemigo invisible y testarudo.

—No me gusta que el Crisólogo hable de política desde la iglesia. No me gusta — protestaba la abuela —. En el fondo lo que ése se está proponiendo es suplantarnos al cura. Tú verás como al final nos dice que los curas de verdad son ellos, los socialistas. Aunque ahora lo nieguen, seguro que fueron ellos los que mandaron asesinar a don Liberado. Ya lo creo que sí...

El cielo se llenó de pájaros. Pájaros minúsculos, como pájaros-piojos, que se quedaban inmóviles, aleteando, sin terminar de posarse en ninguna parte. Pasaban sobre el tejado, anunciando sobre las acacias y los álamos la llegada del otoño. Porque los días pasaban y el cielo se teñía de un añil intenso. A retazos venía ese añil del aire, sobre la sierra, como cintazos de sangre, de manchas rojas, suaves y bellas, lo que hacía pensar a los socialistas que Dios estaba de su parte y organizaban manifestaciones y merendolas cerca del río, junto a los castaños, en las que exaltaban los colores del Partido y las promesas celestiales de la aurora del mundo nuevo. Era en ese

momento, rayando ya la luz del sol, que trataba de taparse con una nube, cuando aparecían de repente los innúmeros pájaros-mosquito, ingrávidos y veloces, que suplantaban a las hojas en las ramas de los árboles que, con el viento, se desprendían y cubrían amarillas los entretroncos.
Sin embargo, hacía calor. La abuela se sentaba junto al balcón y se quedaba pensativa las horas, mirando la torre de la iglesia. Como ahora no había cura, la iglesia estaba inservible. Parecía lo mismo que una cosa muerta. Es verdad que pasó lo que ella dijo y que el Crisólogo, para ganarse a los católicos, trató de restablecer el culto, abriendo todas las mañanas las puertas del templo, mandando poner velas delante de la Virgen nuestra señora y obligando con súplicas imperiosas a las mujeres de los republicanos a ir casi a diario a visitas y sufragios. El hecho de que no hubiera cura, aseguraba el Crisólogo, no es óbice para que cada cual arregle sus cuentas con Dios. Después de todo, ¿qué es lo que hacía el cura? ¿Es que porque no haya cura vamos a ser nosotros peores de lo que somos?... Se tocaban las campanas y el mismo sacristán de antes se prestó a ser sacristán de ahora. Pero todo aquello fue un fracaso, porque nadie se prestó a la farsa, aparte las mujeres de aquellos mismos que la habían organizado y que, muy señoronas, como decía la abuela, ocupaban los primeros sitios y hasta quisieron sacar un domingo a la Patrona en procesión, cosa que, naturalmente, no pudieron hacer, porque la Virgen no lo permitió. Por eso se acabó cerrando la iglesia, a pesar de que se habían puesto anuncios en todas partes comuni-

cando que los cultos continuarían celebrándose como si tal cosa.
La abuela se pasaba las tardes junto al balcón, detrás de la persiana, detrás del tabaque de costura, al otro lado de la sombra azul y roja que se colaba por la cristalera de colores. A veces se levantaba y venía, renqueando, a la pajarada y se entretenía chupeterreando a los pajaritos, quienes empezaron a conocerla y acudían volando a posarse en sus manos, sus hombros y su cabeza, en una sucesión de fiestas y de cánticos. Era entonces cuando le entraba la melancolía por el pobre don Liberado, diciendo, con voz de frambuesa, que nos había dejado solos, como ovejas sin pastor, rodeados de lobos carniceros por todas partes. Porque, de alguna manera, se trataba ahora, mediante campañas perfectamente orquestadas, de inculcar en las gentes no sé qué sucedáneos de tierras prometidas, de revoluciones pendientes y de horas sonadas. Yo me quedaba silencioso, por frente a la abuela, fijo en su labio gotoso y dulce, de donde caían tristes todas aquellas monsergas, todas aquellas protestas y recuerdos que se referían a un mundo perdido, dulce y color de rosa en el que ella había pasado las horas más bellas de su vida. Eso era lo que le hacía llevarse el pañuelo a los ojos, mover la cabeza y querer arreglarse el pelo, algo pelirrojo, con esa coquetería sobreviviente al cabo de los años. Luego dejaba de llorar, se sonaba la nariz y se ponía, sonriente, a mostrarme extraños juegos de manos, acertijos y charadas en las que era muy versada. Pero, a pesar, a mitad de cada historia, siempre tenía algún motivo de queja o de angustia,

que se refería, cómo no, a los tiempos, a las amarguras de la vida, a los desengaños, al otoño que se echaba encima y al hijo aquel que se fue y del que no se sabía nada.

—¿Cómo un hijo puede ser tan desconsiderado?

No servía que yo le dijera nada, entre otras cosas, porque yo no sabía cómo se podía contentar a una anciana. A una mujer que jugaba y que se ponía a mirar por la ventana espiando silenciosamente la calle. La tomaba de las manos y, con mucho respeto, como un perrillo, como un simple chucho de lanas, la acariciaba y le besaba los dedos.

Fue por entonces cuando, al caer la tarde, una leve nube de vapor sobre las casas, la campana de la iglesia nos hizo sacar la cabeza del sueño y salir asustados, la abuela, arrastrando las piernas, hasta el bastón se le volvió débil, y desde el balcón, ya sin sol, ya sin rosa por el cielo, sin amarillo y sin verdes, vimos el humo negro que salía angustiado por el reloj de la iglesia y el lengüetazo salvaje, ensalibado y fiero, que rompía el tejado y las vigas de madera añosa, que ardían ya con la rabia de un perro endemoniado y rabioso. Alguien, nunca se supo, tocaba a rebato, llamaba a aquellos mismos que, antes, en tiempos de paz y de canciones, allí se habían bautizado y casado. Porque, no van a venir los muertos, ¿no?, a apagar el incendio.

—ABUELA, Dios está loco: tan pronto es de día como tan pronto es de noche.

Me hacía caminar por el corredor, siguiendo el rastro de su bastón, al que había hecho colocar un taconcito de goma.

—No quiero que vaya delatándome por todas partes — decía.

Y no era el bastón, era también su andar descompasado, su balanceo de piernas como arcos que a veces le fallaban y le hacían esa música de langosta, de caballito del diablo, ese tris, tras que la anunciaban ya desde lejos. Pero ella se encerraba en que todo era a causa de su «ayudante de campo», como ella solía llamar a su bastoncito, a ese soportador silencioso de su miseria que era un frailecico de la Orden Tercera, humilde unas veces, y otras, cuando le entraba el genio, se convertía fácilmente en un inquisidor.

Yo le repetía a la abuela lo de la locura de Dios, que hacía las cosas y luego las deshacía y luego las rehacía y luego las volvía a deshacer. Era como el juego interminable del deshoje de la margarita. Ella se sonreía, me miraba y volvía a romper la risa en su pañuelito de seda.

—Las cosas que se te ocurren... — decía, parada delante de la ventana, la mirada sobre las hojas de la parra que empezaban a ponerse doradas, a envejecer sobre los alambres, con sus manos cubiertas de hilos, encogidas, que terminaban por volar hasta el suelo.

—Abuela, ¿las hojas tienen alma?

La veía mover, como dos ascuas, sus chispas de ojos

diminutos. ¡Cómo iban a tener alma las hojas o los árboles o las nubes o las piedras que nos encontramos en la calle! Sólo tienen alma las personas, porque las personas piensan.

—Abuela, y si las hojas no piensan, ¿por qué se ponen viejas? ¿Por qué se mueren?

—¡Porque tienen que morirse!

—¿Y por qué sabes tú que las hojas no piensan?

—¡Pues porque no piensan!

—¿Ni los perros?

—Ni los perros...

—Pues yo creo que los perros y los caballos sí piensan.

—¡Qué tontería!

Pero yo estaba convencido de que los perros sí pensaban. Y de que veían por dentro a las personas. Porque muchas veces tienen cara de lástima y se te ponen para echarse a llorar en cualquier momento. Algunos se te están horas y horas y hasta días junto a un muerto y ni comen, ni van a ninguna parte y hasta se ponen a morir de pena, más que un humano.

—¿Por qué Dios no va a tener perros que anden sueltos por el cielo?

—Abuela, ¿no serán los perros ángeles disfrazados?

—Abuela, ¿a Dios le gustan los perros?

—¿Estás loco?

¿Quién puede decir esto y lo otro y lo de más allá? La verdad es que nadie sabe nada del alma y que lo único que se conoce es lo que se toca: las vísceras, el riego sanguíneo, el esqueleto o el aparato respiratorio. Y pare usted de contar...

Pero ella seguía obstinada en que todo eso que yo

creía no eran más que creencias absurdas, tonterías. Yo, en cambio, seguía y sigo pensando que ninguna cosa que existe es inútil, sino que todo tiene un sentido trascendente y eterno. Lo único que pasa es que nosotros podemos seguir viviendo sin necesidad del cuerpo. El cuerpo es sólo la casa en que habitamos. Lo que se nos muere es la casa, abuela...

—Sí, sí... Pero quítate de la cabeza eso de los animales; piénsalo. Lo que a los animales y hasta a las plantas les ocurre es que tienen sentimientos: eso es lo que les pasa. A causa del hombre, de su prevaricación, toda la naturaleza sufre: hay como un dolor derramado entre las cosas...

Tenía que ser verdad lo que decía la abuela. Desde la ventana veíamos el caqui, la luz verde, casi lechosa, que parecía salir del agua del estanque, verdes los árboles que asomaban al otro lado de la tapia, hacia el río, y la tierra, que se ondulaba, se despeinaba, se encaramaba árida a los olivos, a los castaños y a las encinas terribles como gigantes. Había un gesto de dolor en cada cosa, que la abuela, mansamente, con su voz de cascabel, me fue señalando y yo fui viendo y sintiendo de forma incontenible...

LA abuela se sentó en la butaca y me dijo, anda, entorna el postigo, porque se había levantado la primera brisa del otoño y, sobre los álamos, pasaban oscuras las nubes, que se rompían y se iban, deshechas, a caer finalmente sobre la pared de los montes y los olivos.
De repente, habían comenzado a cambiar las cosas. El sonido del viento, el ladrido de los perros, el galleo de los gallos, el eco de los carros por el campo. Pero lo que más había cambiado era la transparencia del aire: había algo extraño, impalpable, algo así como una congoja. Me repitió que cerrara del todo y yo la vi, como una niña, con sus medias grises, con sus zapatos de charol, encogida sobre los cojines de la mecedora, hecha un ovillo, convertida en una gata vieja y triste que tuviera pintadas las mejillas y los morros. Muchas veces me preguntaba si aquella abuela que yo tenía, que iba como un cuatro por la casa, era una abuela de verdad o yo me la había inventado en ese juego iluso de la infancia. Pero era verdad, porque, a veces, sacaba su mano del pecho caliente como la leche que se derrama de la ubre y la pasaba acariciante por mi rostro. Era ese no sé qué lo que me gustaba, lo que hacía sentirme feliz y me obligaba a pegarme a su falda, a estar allí horas y horas, muchas veces en un silencio largo que se oscurecía o se tapaba, blando y dulce, como una tarde de aquellas. Yo le decía:
—Abuela, va a llover.
Y ella no parecía sorprenderse de nada.
Y llovía a los tres o cuatro días y veíamos la lluvia caer mansa, con sus hilos delgados, suave, sobre los

tejados sucios que languidecían bajo la costra de las nubes dolorosas.

—Es natural que llueva.

—¿Por qué es natural que llueva?

—Porque todo es natural...

Natural era, entonces, que de noche se apagaran las luces del pueblo. Natural que vinieran disparos por alguna parte. Que mi madre me dijera, calla, no hagas ningún ruido. Natural eran las carreras, el silencio. Siempre el silencio. Un silencio que se hacía pájaros y sangre y puño dentro del pecho. ¿Por qué todo era natural? Me asomaba a la ventana y veía el cielo y era natural. También las palomas. Y los árboles que se doraban, como si la corteza se les volviera cáscaras de luz. Y las hojas tristes y llorosas: todo inmensamente natural.

—¿Y todo va a ser siempre natural?

La abuela no sabía entonces qué contestarme. Se bajaba como podía de la butaca y echaba a andar monologando, hablando en un galimatías incomprensible.

A través de las ventanas se doraba el sol en la galería. Todo parecía morir. Y, sin embargo, aquel silencio era engañoso. La guerra continuaba. Desde el balcón se veía la fachada y la torre de la iglesia, requemada y manchada de negro. Y es curioso cómo, a pesar, las palomas regresaban a los tejados, se arrullaban y entraban y salían por las bocas ciegas de las ventanas. ¡Qué saben las palomas!, protestaba aquella mujer enclenque, mi abuela, pero fuerte, que, un día, harta, mandó quitar de su bastón el taquito de goma, porque ese silencio me suena a marica, a que

no me lleva un macho de la mano. Según ella, había ruidos hembra y ruidos macho. Hasta un bastón, mirándolo, puede resultar lo uno o lo otro. Y creo que tenía razón: aquel taconeo seco, enérgico y viril, le hizo recobrar la seguridad.

Si no hubiera sido por la muerte de don Liberado, por la muerte de Tristán el Fuerte, por el incendio de la iglesia y el incendio del molino y la aserradora, la guerra, en verdad, hasta entonces, ni se hubiera notado. La guerra hubiera quedado reducida a ese rumor que lleva toda guerra consigo: a ese hablar siempre de la guerra, a ese pasar de camiones con soldados que cantaban felices de ir a la guerra, y de niños, como yo, que corríamos por la carretera, el puño en alto, orgullosos de saludar a aquellos soldados felicísimos. Porque ése fue otro de mis descubrimientos: que la guerra hace felices a los hombres. Que a todo el mundo le gusta hablar de la guerra. Y que nosotros, de alguna manera, también vivíamos entregados a esa alegre fiesta que es siempre una contienda. La mínima noticia de victoria en seguida era celebrada con mítines en la plaza, ostentación de banderas y desfile de retratos que, no sé por qué, siempre me sonaban a entierro, a orgía de muertos. Porque todos aquellos retratos eran lo mismo que muñecos, cosas de papel que se suben o que se bajan, que se cantan o que se queman y, quemándose, aquellos Lénines o Marxes seguían impertérritos, con la misma forma de mirar, sin enterarse de nada. La abuela, desde la ventana, con aquella sonrisa de trapo, me decía, ¿no ves? Esos son los mismos que han quemado la iglesia: ahora ya tienen otra

iglesia, otros santos y otros curas. ¿Te das cuenta? Fue ese día cuando, en el tropel, del brazo del Crisólogo y del miliciano García descubrió la abuela a su Peregrina y a su Santo, quienes, en secreto, se escapaban todos los días desde hacía tiempo, desde el día en que cerraron la iglesia y se acabaron los pecados, por la puertecilla del huerto y retozaban, era lo que se decía por ahí, con aquellos hombres de mono azul y correaje que hablaban fino, arrancándoles eses a las palabras. Puede que fuese ese prodigio de las palabras, esa música de flauta para serpientes, lo que hiciera caer a las dos tías locas, quienes, en su edad más propicia, se convirtieron, de repente, en dos adalides, en las defensoras más avanzadas de las delicias de la libertad, sin que valieran para nada las monsergas de la abuela, los taconazos fascistones del bastón y el que echara mano a los principios fundamentales por los que siempre se había gobernado aquella casa, ¡la vuestra!, basados en el Evangelio y no en doctrinas falsas y perniciosas, que llevan al hombre a la prevaricación y a una trampa. Era impresionante contemplar a la abuela con la agitación, el pecho encogido, sola en aquel salón vacío, por cuyas ventanas se colaba débilmente la luz enfriada de aquellos días. Las dos tías, con el histerismo, se hacían las lloriconas medio tumbadas en el sofá, diciendo que siempre habían sido unas víctimas de la opresión: unas cegadas, unas estériles, engañadas y atontadas, y, últimamente, hasta convertidas en enajenadas con el solo propósito (tía Peregrina descubrió su rostro de papel, con el colorete emborronado y los dos círculos, muy marcados, del

rimmel de los ojos) de que nunca llegáramos a conocer la verdad de la vida.
—Y, ahora, ¿en qué os habéis convertido? —tronó la abuela, golpeando las losas con dibujos.
La voz quedó flotando, viva, echando fuego, como si en cualquier momento pudiera volar la casa.
—¡Os habéis convertido en dos perdidas!
Lo malo es que a aquellas dos mujeres ya no les sonaban a escándalo, ni a ofensa ni a nada, las palabras, los gritos y los gestos de la abuela, quien parecía danzar sobre su propia sombra, pateando con sus piernas enclenques, como que, a cada momento, parecía que iba a desmembrarse y que su cuerpo, endurecido, hecho de pedacitos de huesos, se iba a deshilvanar, llenando la casa de trastos.
Hay momentos en los que todo parece haberse perdido. En los que las palabras no suenan a nada. En los que el significado no significa y uno se da cuenta de que se ha quedado vacío, como hueco, y que el viento le entra y le sale sin arrastrar ninguna cosa en su paso. Yo recuerdo aquella tarde tirada, ese relumbrón de sol, como gastado, que se colaba a través de la cortina de cretona y de los cristales esmerilados, de colores mates, que dejaban en el suelo monedas falsas e inocentes. Y recuerdo a aquellas tías locas simpáticas, que siempre estaban unidas, que se canturreaban secretos al oído y que andaban de continuo espiando la calle, siseando al que pasaba y riéndose a mandíbula llena, arropadas en las cortinas. Y lo malo de estas niñas (repetía la abuela) es que no les ha dado por la religión. La culpa es del abuelo que, en el fondo, era un republicanote. An-

daba siempre embebido con ese doctrinario iluso de las libertades, los sufragios populares y la voluntad del pueblo. ¡Cuánto desatino!

—Abuela, ¿por qué te casaste con él?

—Porque el pajolero era muy simpático.

Y se reía ocultando su carita de pastel, sus labios de tomate y aquellos ojos ahogados a través de los que trataba de ocultarse. Me enseñó un día una foto de ese hombre adusto, serio, con bigote, que era mi abuelo. Lo sacó de la cómoda, en donde ella guardaba esas chucherías a las que todos acabamos por aferrarnos. Porque uno no se agarra sólo a las personas, sino a cualquier tabla de salvación y de afecto, que es un simple recuerdo, por muy vulgar que sea.

—No es verdad que tu abuelo fuera un tirano. Todo eso son habladurías. Lo que pasa es que las mujeres, en mis tiempos, nunca salían de su casa. Y los hombres nos querían más. ¡Vaya si nos querían más!

Aquella noche, enérgica, la abuela encerró bajo llave a las dos niñas perras. Y les advirtió que llamaría al Zaraguato para que las metiera en cintura. Sin embargo, algo debía de haber acontecido en ese tiempo, porque las dos mujeres, a una, gritaron que les importaba un rábano el tal sujeto, que nunca había existido, que era un ente imaginario, que no estaban dispuestas ni un minuto más a sufrir el peso de la esclavitud filial. Todo el pueblo se pasó la noche al tanto del estrépito de las dos tías locas, acaso más terriblemente locas que nunca aquella noche. Al amanecer se contó en todas partes, y tiene visos de posibilidad, que las dos locas saltaron desnudas por una ventana y anduvieron a la caza de palomas por el

huerto, ante la sorpresa de los militares que, a esa hora, hacían ejercicios de tiro detrás de las tapias.
—Esto nunca hubiera pasado en vida del abuelo.
Se quejaba la abuelita, disgustada, la voz pastosa, sabedora de que nunca podría nada contra aquel par de tórtolas disparadas, a las que el calor familiar, acaso la incomprensión (sí, sí, la incomprensión, se atrevió a reconocer) había mantenido ignorantes y como ciegas de los misterios más atrayentes de la vida. La oí lloriquear lo mismo que una muñeca barata a la que se le corre la tintura. La vi llevarse las manos, como dos guantes vacíos o como dos hojas, que pasó por su rostro y dejó caer otra vez en su falda. Creo que es la impotencia, el saber y no poder, lo que hace realmente desgraciados a los seres humanos. La vi descansar la frente en el cristal de la ventana y pensar que tal vez lo mejor sería que ellas mismas descubrieran la verdad y la mentira de la vida, la alegría y el dolor de vivir, la risa y el llanto, la compañía y la soledad, la salud y la enfermedad, la juventud y la vejez, el descanso y la fatiga. Yo oí aquella letanía, esa melopea, de sus labios, de donde las palabras parecían gotear y derramarse sobre el cristal empañado de la ventana.
—Hizo bien el abuelo en morirse a tiempo — me dijo quitando la frente de allí y mirándome fijo, el dedo levantado, el rostro blanco y arrugado como una cuartilla arrugada y blanca.
Tris, tras, lenta, como un barco a la deriva, con ese balanceo que da la infelicidad, se fue alejando por el pasillo, pisando casi nada las losas rojas, brillantes por el aceite de linaza.

—Hizo bien ese republicanote. Ese medio masón. Ese mujeriego. Nunca hubiera consentido en entregar sus hijas, esas dos rosas, a las manos de cualquiera. Prefería guardarlas aquí, en esta casa, para que nunca supieran nada de la vida. ¡Qué desfachatez! ¡Como si hubiera que sembrar la mala hierba!
La vi abrir la puerta del salón y perderse por el pasillo, en aquel mar de sombras y silencio. Corrí a la ventana, donde quedaba la huella de su frente y de su rostro. El cielo caía despacio y unas nubes, como trozos de una carta a medio hacer, volaron sobre los tejados y se perdieron...

OPTÓ la abuela por dejar libres a las dos tías locas, Peregrina y Espíritu Santo, más que nada por las presiones a que fue sometida la casa, las amenazas de los grupos políticos, sobre todo de los socialistas, quienes hicieron pintadas en nuestra fachada tachando de fascista a la abuela, que tenía secuestradas a dos buenas camaradas, a dos hijas del pueblo legítimo, a dos colaboradoras de la causa libertaria. Fue esta marea, el cada vez más subido tono izquierdista, los gritos y las ofensas dichas a voz en la puerta y hasta las banderas que se pasaron por delante de la casa lo que, por primera vez en su vida, atemorizó a la abuela y dejó descorrido el cerrojo para que aquellas dos mujeres hicieran de su capa un sayo. Antes, eso sí, las llamó «rojas» y les dejó sobre la cara aquella mano vacía y blandengue que le quedaba de los años mozos.

—Sois dos rojas perdidas...

Mientras mi madre lloriqueaba junto a la mesa, la cara escondida entre las manos, las oímos bajar la escalera aguantándose la risa. Eran dos risas de globos de colores, de día de feria, con sus faroles y sus lucecitas colgadas de los árboles. Las vimos correr como locas, como lo que eran realmente, en busca de la libertad. Después, mezcladas, simbiosadas por la masa, pasaron a ser algo amorfo, incoloro, imposible de distinguir.

—Todos juntos parecen un muro — le oí a la abuela, tratando de verlas todavía encogiendo la pupila.

Yo sabía hasta qué punto aquellas dos niñas eran las niñas de sus ojos. Por eso se amargó, si cabe, más y se le torcieron las piernas y se le fue marcando una

joroba, dura como la de un camello, sobre la espalda. Sin darse cuenta, trataba de recobrar, de nuevo, la postura fetal. Ese círculo eterno en que acaban todas las cosas. Ahora caminaba sin destino, perdida en el laberinto de sus recuerdos infantiles, cada vez más niña y cada vez más borrada de este mundo. Porque empezar de nuevo es siempre terminar.

Todavía, sentada, sin dar señales de consuelo, seguía mi madre su lloriqueo, aquel pañuelo que de vez en cuando sacaba y se refregaba el rostro, y aquellos ojos grandes, enrojecidos y avergonzados. Porque todo esto, indudablemente, era una deshonra. Y eso era lo que a ella más le dolía: la mancha imborrable que nada podría nunca quitar de la casa.

—Nos salpicará a todos — se dolía —. A todos.

La abuela asentía, sin hablar. Sólo veía su cabeza que se movía rítmica, como si temblara sobre sus hombros. Era un cabeceo que hubiera durado mil años.

Veía el cuerpo incontenible de mi madre, sus pechos robustos sobre la mesa, aquellos brazos níveos, desnudos por encima del codo, que se agitaban macizos. Ella era otra cosa en aquella casa.

—Tú eres distinta.

Le decía con frecuencia la abuela. Porque se había casado, había formado un hogar y tenía un hijo (que era yo) para perpetuar esta familia. Fue entonces cuando capté la tremenda responsabilidad que caía sobre mis hombros. Tanto que, me parece, me pasé todo el día cavilando, sin hablar con nadie, atemorizado de que el destino del mundo estuviera en mis manos.

—Si encuentras a las tías en la calle, ni las saludes. ¿Me oyes?
Me ordenó mi madre, de pie, el rostro enrojecido, pero ya seco. Era claro que acababa de tomar una determinación. Había decidido romper con aquellas dos descaradas. Cortarlas de su carne y de su apellido como con tijeras. Ignorarlas y no hablar nunca jamás de ellas. En una palabra: morirlas, perderlas para siempre.
Tuve que asentir porque, en ese momento, no dudaba de la razón de mi madre y de la locura de aquellas dos mujeres locas perdidas, que se habían lanzado a la vorágine de la guerra. Por eso, ahora, se las veía en los bailoteos de las Casas Populares del brazo de oficiales malignos, con los que bailaban, para nuestro mal, muy apretadas.
Lo peor fue cuando alguien, a escondidas, trajo a la casa el que Peregrina y la Santo se habían dado al tabaco y fumaban lo mismo que dos tíos. Yo mismo, por casualidad, sin que nadie me lo dijera, me acerqué una tarde al Salón Social y allí las vi, riendo, muy pintadas, con un cigarrillo en los labios. Me puse nervioso y eché a correr para mi casa.
La guerra, en tanto, seguía pasando por el pueblo. Aquellos convoyes interminables de camiones rusos, chatos, repletos de soldados, con fusiles y con mantas terciadas, que se perdían bajo un cielo gris, amoratado y lluvioso, por la carretera. Sólo veíamos los chopos, delgados y casi secos, de aquel baile de hojas raquíticas, que temblaban con el viento. Corríamos hasta la era por ver alejarse a la tropa, para gritarles, como siempre, o para saludarlos con el puño levan-

tado, mientras la lluvia los iba borrando hasta que se perdían en la primera curva. Lo curioso es que, nosotros, nunca sabíamos en qué parte estaba la guerra: sólo sabíamos que los vehículos, los convoyes y la caballería (que alguna vez pasó) iban en dirección este-oeste, por lo que colegíamos que la batalla tenía que desenvolverse siguiendo el camino angosto, cubierto de barro, pésimo, que cortaban los chopos y los álamos negros.

Una vez, a los varios meses de la guerra, llegó un telegrama al Ayuntamiento en el que se decía que Amulio García, hijo de aquel pueblo, había caído en el frente. Me acuerdo bien de su nombre: Amulio. Y de su cara. Ese día entendí mejor que nunca lo que la palabra «pueblo» quiere significar. Porque, al notar en mi rostro el frío de aquella noticia, me sentí carne, verdadera carne y verdadera sangre de aquel Amulio. Pronto me daría cuenta de que los muertos son casi siempre hijos del pueblo. De que es el pueblo el que padece, el que se calla y el que no tiene más color que el que le ponen. Lo que más recuerdo, después del telegrama, es a aquella mujer, desaliñada y perdida, que corría por la plaza como un perro, sin saber dónde ir, incapaz de mantener en su pecho el dolor que le producía aquella pérdida, la pérdida de su hijo.

—Hacen las guerras con nuestros hijos —chillaba—. ¡Como si nuestros hijos fueran sus hijos!

Lloviznaba y sólo quedó, como un trallazo, como un chispazo de chisquero, aquella voz rota, desarreglada, perdido el sentido. Porque seguía la lluvia, cada vez más cruda, más sucia y más negra sobre los tejados

de las casas y el muñón de la iglesia, ciega en el ojo del reloj y en la torre manchada de humo por donde habían salido las llamas. La mujer se enrolló en la puerta de la iglesia, se hizo una cosa de trapo, abrigada con el portón, que olía a hoguera muerta. Tuvieron que llevársela de allí, aunque ella no quería y nunca lo hubiera hecho. Parecía un pequeño animal, encogida, fea, con aquellos despojos de su carne y aquellos trapos negros, en los que parecía gatear su alma desconocida. Y así se la llevaron dando gritos, moviendo sus piernas de lana, con aquellas medias y las alpargatas sujetas al tobillo por dos cintas blancas.

Me fui para mi casa con el amargor de aquella estampa. La sentía raerme las tripas. Era una sensación de asco y de vergüenza. Yo no sabía qué era cada cosa. Veía que unos iban hacia la derecha y otros hacia la izquierda. Acaso eso no fueran más que caminos, más que direcciones opuestas y engañosas. Yo sólo comprobaba, veo un solo camino en la vida. Se nace, se va creciendo y se acaba en el cementerio. Es una dirección ineludible: no existe otra alternativa. Y eso, creo, lo sabe la gente del pueblo: esa mujer desparratada, indefensa y hasta ridícula, sin consuelo y sin nada.

El pueblo parecía haberse escondido. No se veía a nadie por ninguna parte. Sin luces y sin palabras: un silencio cómplice y acusador, vergonzante y responsable. Habían cerrado el Salón Social en señal de duelo. Se habían puesto algunas banderas a media asta, que colgaban como muertos a causa del aguacero. Pero nadie se sintió con ganas de organizar nin-

gún tinglado, ni de decir discursos, ni de agitar al viento la sangre recién derramada. Entre otras cosas porque aquello de la sangre había disgustado al pueblo, quien empezó a temer que a una muerte seguirían otras y otras como en un dominó imparable. La guerra es siempre devoradora: se alimenta de cabezas, de sangre, de manos y de ojos blancos y tiernos.
La abuela se pasó la noche lloriqueando. Era un lagrimeo corto, pero continuo. Una tristeza sin límite por el hijo que ella también tenía lejos, en la contra de éstos; pero, al fin y al cabo, también en peligro de muerte. Lloraba por todas las madres como ella. Porque las madres, me decía, no entendemos de esto y de lo otro: sólo somos madres y no tenemos partido.
Aquella noche, tarde, me dijo:
—Ven conmigo.
Se había puesto un chal. Cogimos un paraguas y salimos a la calle. Hacía tiempo que no ponía los pies en la puerta. No terminaba de entender lo que veía: los letreros y los pasquines que cubrían las paredes. Yo iba a su lado tratando de llevar el ritmo, aquel paso lento y torpe bajo el caparazón negro, relleno de varetas, del paraguas. Oía cómo la lluvia se obstinaba en llamar sobre la piel de la tela, como si llamara también sobre la tapa de un ataúd.
—Abuela, ya no me cuentas nada —me quejé, mientras le ayudaba a pasar un charco. No recuerdo lo que me contestó, pero debió ser como un chascazo en su mente, ya que, a pesar de todo, soltó su risita delgada que le resbaló del labio. La vi menear la cabeza. Luego dijo:

—La guerra nos vuelve a todos egoístas.
Yo veía cada vez más sus piernas delgadas, con espolones, como las patas de una gallinita que fuera a saltar por la calle. Con su cola, sus alas y su pechuga. La oía cacarear, con esa música de caldo caliente, de sopicaldo, y ese balanceo de gallina vieja, ponedora, bajo las alas de su chal oscuro. Y yo me sentía un pollito, con los ojos redondos, pendiente de la lombriz o del grano de trigo que sobrenadaba en los charcos. Todo el pueblo me pareció de pronto un enorme, grande gallinero, un corral repleto de gallinas ponedoras, de gallinas y gallos y de nidos donde esconder los huevos. Seguía aquella llovizna goteando en el paraguas, dejándome, a veces, su meadita fría por el cuello. Todo el mundo es un enorme gallinero repleto de miles y miles de gallinas.
—La guerra nace del pecado original — seguía ella, con su palabrería, con su dulce eco, que iba dejando un deletreo de sílabas sobre el camino, las calles tan oscuras, tan solitarias. Era, a veces, el brillo del cielo, o de la luz de una puerta, lo que nos guiaba.
Al fin llegamos a la casa de aquella mujer. La única que estaba abierta. Salía un resplandor de luz hasta la calle. Un resplandor de lloros amargos tapados, cenicientos, en torno a una mesa vacía, en la que alguien había colocado un vaso con unas cuantas mariposas encendidas. La candela era el alma del muerto. Estaba allí, en esa lucecita azul, tierna, amarilla como una hoja de sauce, como una flecha de luz que no se extingue. La abuela cerró el paraguas en la puerta y dejó que el chorro cayera entre las piedras. Me dijo: Toma. Para que tuviera en mis manos aquel

cuerpo de tela plegada y húmeda. Era un pájaro, un aguilucho, una de esas aves tétricas que pasan por el cielo con sus alas de fieltro. Por eso la coloqué en un rincón, donde siguió meando por la punta de metal. Vi cómo a la llegada de la abuela aquellas mujeres pararon sus lloros y se pusieron a mirarla, sin saber qué hacer. Pero a ella nada de eso le importó, se fue para la pobre madre, le puso las manos en sus manos y la abrazó como se abraza a un niño desvalido, a un hijo al que nadie quiere, a un despojo humano, en el que late un corazón que sufre. Yo sentí a aquella mujer empaparse de la abuela, volcarse como en un puño de lágrimas y llorar como si toda ella se desbordara.

—Llora, hija — le decía —. Hártate de llorar. A nosotras sólo nos dejan eso.

A las palabras de la abuela todo el coro pareció reanimarse, y aumentaron los ayes, los desmayos y los lamentos que no se iban, como si allí mismo, tumbado, tendido y amortajado, estuviera el cuerpo de aquel soldado infeliz, roto, que seguramente había caído hambriento y harto de piojos, renegando de los tiros y con ganas de volverse a su casa. Fue entonces cuando, de pronto, alguien se acordó de don Liberado, el pobre.

—Ahora, sin cura — decía ese alguien —, ¿quién le rezará al muchacho? Antes, los pobres, teníamos otro consuelo...

Me sentaron en una sillita, desde la que asistía silencioso y triste a aquel velatorio sin muerto, arropado entre mujeres que olían a tierra y a refajo, y que estaban asombradas y satisfechas de que la abuela,

que tenía un hijo en el otro lado, estuviera aquella noche allí.
Seguía la lluvia. Daba en el tejado haciendo una música monocorde y aburrida. Porque sentía que se me cerraban los ojos y que, en cualquier momento... Abrí los ojos y advertí que sobre la mesa, junto al vaso de las mariposas, había un trozo de queso, un jarro de vino y media hogaza de pan. Era la comida del soldado, lo que su madre le había estado guardando tanto tiempo, para el día que volviese... Se me caían los ojos, y la luz amarilla y triste del candil que colgaba de la pared se hacía negra de repente, y estaba a punto de hundirme, de perderme sobre la silla. Pero oía la voz de la abuela, su voz como cristal pisado, allí, en medio de aquellas enlutadas, con chales y pañuelos negros, casi fantasmas. No; no eran fantasmas: eran pájaros gigantes, reunidos en torno a la lucecita de la mesa, aquel vaso transparente, en donde volaba y volaba, chiquita, lo mismo que una semilla verde, el alma de aquel soldado...

AQUELLA mañana, al mucho tiempo de la guerra, se vieron pasar sobre el pueblo los primeros aparatos. Era un zumbido de moscas sobre un pastel, sobre un trozo de carne podrida, que aumentaba y crecía desde los castaños, como si bajara por la sierra y se expandiera por los olivos, los álamos y las huertas lo mismo que el agua cuando baja turbia por el río. Por eso salimos a la calle: para verlos cruzar, con las alas abiertas, rasando los tejados, como si, desde sus ojos grandes, nos fueran mirando a todos. Por eso, algunos, asustados, se refugiaban en las sombras de los portales, de los árboles e, incluso, se tumbaban junto al pilón, en la plaza. Aquel zumbido terrible quedó mucho tiempo flotando por el pueblo como una baba espesa y soñolienta. Pasaron los bombarderos (alguien dijo que les había visto las bombas colgando como tetillas, prontas a ser lanzadas donde fuera). Fue eso lo que atemorizó a todo el mundo, la posibilidad de una muerte indiscriminada, ya que las bombas, al llover, llovían lo mismo para listos que para tontos, para blancos y para negros, para viejos y para niños... La guerra desde el cielo perdía todas las virtudes de una guerra individualizada entre caballeros, ya que una guerra así significa exterminación, y toda exterminación es siempre apocalíptica. Por un momento, los aparatos, el miedo, parecieron conseguir el milagro de la unificación del pueblo, ya que, a la vista, había surgido un enemigo mayor, más poderoso e invencible. Los vimos alejarse, volver a convertirse en moscardones, en moscas, en mosquitos y confundirse en un cielo pálido que, pronto, con el viento helado, se borró con nubes. Pero no se fue,

repito, aquel desasosiego, ese nuevo sonido taladrando incansable nuestro cerebro. A partir de entonces nuestros ojos andaban siempre registrando los cielos a la búsqueda de la mínima señal.

—¿Se oye algo?

La respuesta era poner el oído, quedarse quieto, esperar, esperar...

—No; no se oye nada...

Y el corazón volvía a relajarse, poco a poco, en busca del silencio.

Fue entonces cuando ya nadie amó la guerra. Cuando todas las caras empezaron a ponerse mustias y todos callaban, sin querer traslucir sus pensamientos. La guerra no parecía ser lo que tanto se había dicho. La guerra es sólo una trampa para cazar incautos. Por eso que las Uniones, Convenciones y Fraternidades aumentaron (mediante consignas) sus campañas patrióticas, y ahora, durante todo el día, se oían los altavoces de la Casa Popular lanzando músicas militares y frases alusivas al valor guerrero, a la grandeza de la Patria y al paraíso que a todos los hombres leales se les tiene prometido para después de la victoria. Pero la gente (empezaban a llegar telegramas sobre muertes y continuos desaparecidos) comenzó a darse cuenta de que la guerra no tiene nada que ver con las músicas celestiales.

En Navidad, como una reminiscencia del nacimiento de Jesús, se repartieron bollitos de pan y onzas de chocolate para los niños del pueblo. Pero a nadie convenció aquella festividad aséptica y solitaria. Algunos, a escondidas, montaron en sus casas portalitos de Belén. Era una noche triste, donde la nieve,

por la ventana, brillaba más que nunca a la luz de un cielo limpio de nubes, estrellado y divino. Vi a mi madre llorar junto a la ventana el que Dios, aquella noche, no estuviera, como siempre, con nosotros. Porque todo estaba muerto: la iglesia, la campana (que habían descolgado con dinamita hacía poco tiempo) y la calle, otras veces salpicada por el jolgorio. Ahora Dios no está aquí, porque todos le hemos cerrado la puerta y le hemos dejado pasar, una noche así...

Me acerqué a la ventana creyendo ver la borriquilla de la que tiraba José, ese hombre de allí, con su cayada, y la Virgen, como una niña de porcelana, bella cual ninguna, con un cerco de estrellas sobre la cabeza. Los vi, estoy seguro, con su farolillo de aceite para no perderse por el camino. Iban hacia Belén, huyendo del viejo Herodes, el impío y sanguinario, quien, astutamente, pretendía apoderarse del Niño para matarlo. Y por eso, engañado por los Magos, había ordenado asesinar a todos los niños de la tierra...

La abuela, sentada en su mecedora, me contaba aquella historia grande, y yo veía los caminos de azúcar, y los ríos de papel de plata, y la estrella con su rabo de luz, y las casas de papel pintado, y el Portal rodeado de ángeles, donde el Niño, pequeño como un dedal, sonreía tranquilo, desnudo, sobre pajas de oro fino, con sus manos de miel y de candor. Luego se echó a llorar, porque esta noche, por primera vez, no están aquí todos mis hijos. Faltaban su hijo el soldado y sus dos hijas locas, cuyo matrimonio civil con el Crisólogo y el miliciano García se había celebrado no hacía más de dos semanas.

—Locas..., locas... —repetía, refiriéndose, ahora, a otra clase de locura.

Callábamos siguiendo el balanceo de sus palabras, ese ritmo, ese ir y venir de sus lamentos. Locas..., locas...

La casa, aquella noche, parecía impregnada por el pegamento de aquellas palabras que, como insectos, se aferraban a las paredes, al mantel de la mesa, a los cubiertos y a nuestras vidas, un tanto frías por el frío de aquella noche triste e inhóspita.

Mi padre, al que la guerra tenía últimamente preocupado, permanecía hundido en su butaca, el rostro escondido entre las manos. Le había librado de ir al frente, además de la edad, no sé qué deformación ósea que tenía en una pierna. Éste era el motivo de su cojera y de su palidez. Su contra al casamiento civil de sus cuñadas le acarrearía serias dificultades. No sé si era eso lo que pasaba aquella noche por su cabeza, mientras se consumía sobre la mesa la lámpara de aceite, en una cena triste, en la que ninguno cenaba.

Y yo veía que mi madre, liada en su toca, observaba con preocupación a mi padre. Se le acercaba a veces y le susurraba no sé qué palabras que, mi padre, sin dejar de taparse los ojos, recibía en silencio, sin hacer el más mínimo gesto, como si todo aquello le fuera indiferente.

Era la abuela la que seguía abstraída, cerrada en sí misma, pálida como el papel, con los ojos borrosos, perdida en el callejón sin salida de sus recuerdos. Porque a ella le hubiera gustado verlos a todos, a sus hijos, allí, como entonces, como hacía años, sen-

tados a la mesa, o junto al Portal, sin esas ideas extrañas que habían dividido y expoliado su casa.

—¡A mí qué me importa quién gane la guerra!

Fue un gesto desesperado, como de animal viejo y acorralado, que tratara inútilmente de defenderse blandiendo su bastón.

Y lo curioso, pensaba yo, es que la guerra también es natural. Es natural que de vez en cuando los hombres cojan sus armas y se vayan lejos, a matarse los unos a los otros. Y no es por las ideas, ya que, en resumen, casi todos los hombres vienen siempre a luchar por cosas parecidas: es por la ley natural, que lo abarca todo, que se cumple siempre, y que selecciona a las especies vivientes. La guerra es cruel, porque la vida, en su lucha, nunca perdona. En realidad todos vamos naciendo y creciendo hacia alguna parte, como hacia otra vida, en un parto terriblemente doloroso...

Bueno, es posible que yo, aquella noche, no pensara nada de eso, ya que es difícil pensar cosas así con tan pocos años. Pero mi corazón estaría encogido, trabado por esa noche gris, por ese silencio espeso y largo y por ese cielo (lo vi desde la ventana) iluminado y limpio, sin una nube, sin un grito, manchado por el negro lejano de los árboles, de los cerros y de las casas, ligeramente violetas y confusas. Y era bello ese paisaje donde, a pesar, había algo inhabitual, maravilloso, que estaba mucho más arriba de la sombra de la iglesia, de la veleta y de la luz que descollaba sobre el tejado. Cerré el postigo y cerré, también, la noche. No sé qué más pasaría. Debió seguir la abuela con sus lloros, con sus ataques de rabia y de impo-

tencia. Con su tristeza infinita. Porque me pareció oír su voz entre las sábanas, fragmentada, como si todas sus palabras se hubieran caído de repente y el viento las llevara bailando por la calle.
Y yo soñé con los aparatos, viéndolos asomar iluminados sobre la vega, rasando las copas de los árboles y arrancando, con su vuelo, de los sembrados, hojas y pétalos de amapolas y margaritas. Pasaban suaves, como si fueran de papel de periódico, como los que hacíamos nosotros para jugar y arrojábamos para que se deslizaran sobre la mesa. O sobre las hojas de la parra. O por la carretera. Porque, a veces, tan suaves, tan silenciosos, eran lo mismo que pájaros de papel, con sus alas abiertas y la cola larga y estirada. Levantábamos las manos para saludar, mientras un sol limpio nos hacía taparnos los ojos y mirar luego, deslumbrados, llenos de aquella luz increíble y maravillosa. Todo el cielo parecía lleno de aquellos fantásticos, hermosos y brillantes aparatos...

A nadie le cogió de improviso el matrimonio civil de las tías locas. Fue un rumor que sumió a la casa en una desdicha infinita. Todo parecía haberse confabulado con aquel invierno esquelético y vacío. Cuando me asomaba por la ventana de mi cuarto, casi dolía la soledad del huerto, el ver el agua cristalizada, el caqui y los árboles, y más que nada la ausencia de risas de aquellas dos niñas consentidas, maleducadas, egoístas y locas que eran mis tías Peregrina y Santo; seguramente las dos mujeres más guapas que hubo nunca en el pueblo. Pero, aunque no sorprendió la noticia, sí trastornó a la abuela, quien se pasó el día escondida en su butaca, sin querer ni comer ni beber, ni morir ni vivir, el rostro oculto entre las manos y las piernas recogidas, plegadas, invisibles debajo de su falda y de sus refajos. Sólo se oía de vez en cuando como el chillido de una rata, de un pájaro perdido o del viento al pasar a través de una tripa hinchada. Pero, en seguida volvía a convertirse en nada, en una simple pavesa, en un montón de ceniza de la que, al hurgar, se desprendía una chispa de calor. Era mi madre la que protestaba, la que decía que las dos tenían que haberse muerto, muerto y enterradas. Y todo aquello lo decía a gritos, como si las palabras las fuera escupiendo de la boca y a ella le fuera imposible impedirlo. La veía ir de un lado para otro, rebosante y fatigada, el rostro encendido por la ira. Porque ella había sido siempre la más sacrificada de la casa. La que no había tenido derecho ni a esto ni a lo otro, ni a comprarse un alfiler, ni a una diversión, sino que antes y ahora se había tenido que resignar y quedarse con cuatro gustos, más que nada

para que esas niñas bobas no fueran a estropearse. No sé por qué me parecía que mi madre había estado esperando ese momento desde hacía años y, al fin, las cosas sucedían tal como, en el fondo, ella había deseado siempre. Y aquellas inculpaciones caían como mazos sobre la abuela que se capitidisminuía en su butaca, aparecía y desaparecía, y sólo dejaba ver sus manos enclenques, como simples huesecillos, sin vigor ninguno, que cualquier cosa hubiera roto en un instante.

—Ahí tienes los resultados — cerraba mi madre crispando las manos, los puños regordetes y hasta los labios, reventados y rotos en aquella expresión definitiva. Porque, lo que más sentía, lo que no podía remediar la abuela, era que, efectivamente, tenía toda la razón aquella hija juiciosa (mi madre), sensata, honesta, cumplidora, que era su hija mayor. Por eso no osaba levantar la cabeza, sino que aguantaba paciente la tormenta, hasta el punto que, a veces, me parecía que convertía en varetas y en paraguas sus manos delicadas, empobrecidas y débiles por ese sol sin nada de la tarde.

—Si hubieran tenido una ocupación, no habrían pensado nunca en otras cosas...

Era el escopetazo final. La abuela sabía que en cualquier instante se produciría esa inculpación. Y lo grave era que no podía zafarla; cualquier cosa que hubiera dicho en su contra, la hubiera perdido más y más. Frente a su hija mayor no encontraba ningún argumento. La verdad era que se movían en dos planos diferentes, en dos verdades muy distintas: ésa era la realidad del conflicto. Porque la abuela había

visto siempre aquellas dos manzanitas suyas, esas dos pequeñas gatas siamesas, como un juguete lindo que, en cualquier momento, alguien podría estropear.

—Sólo son dos niñas...

Fue la única defensa que oí salir de sus labios por la reja de sus dedos.

Se casaron en una ceremonia aséptica, sin velas y sin cura, en la que un juez de paz se limitó a leer a los contrayentes determinados artículos del Código civil. Tía Peregrina, nos contaron, rompió a llorar, echando de menos su traje de novia, el velo y el ramo de azahar, con los que tanto había soñado. Llevaba un abrigo verde, sus medias con carreras recosidas y unos zapatos de tacón de antes de la guerra. Tía Santo era la más tranquila: los labios muy rojos, muy cogida del bracete del miliciano. Parecía realmente enamorada y, de vez en cuando, decía bajito no sé qué cosas al novio, quien se había compuesto con sus mejores ropas y estaba nervioso. El Crisólogo era el más seguro de la situación, con su cazadora de cremallera, sonriente y dando palmadas a todo el mundo. Era, en realidad, el triunfo mayor obtenido por la democracia popular, la única verdadera democracia, quitando barreras y llegando al acercamiento real entre las diferentes clases sociales que, en este caso, se habían encontrado en aquellas dos señoritas simpáticas que habían roto con los prejuicios de casta y se habían entregado generosamente a los brazos del pueblo, representado, en esta ocasión, por los camaradas Pedro Crisólogo y Juan García.

Ni siquiera este discurso, dicho muy sinceramente y

con sentimiento por el juez de paz, fue suficiente para que tía Peregrina detuviese su llanto. Un lloro tonto, nervioso, que no sabía ni por qué le hacía llorar, pero que le estropeó el colorete y le torció los ojos, casi más grandes, hundidos en el oleaje del rimmel.

Anochecía cuando las dos parejas, con los testigos y los amigos, salían del Ayuntamiento y entraban en el Salón Social donde se celebraría la doble boda. Hasta muy tarde, hasta la madrugada, hasta los primeros rayos del sol, estuvo llegando a nuestra casa el ronroneo de la música bailable y las risas y los gritos de los invitados que alborotaban con la borrachera.

Nadie durmió en nuestra casa. Oíamos los ladridos de los perros que, a bocados, parecían romper la noche solitaria. Todo tan oscuro. Tan terriblemente callada la casa, aun cuando nunca estaría más despierta. Yo, entonces, me puse a pensar en aquella bisabuela, que también había estado loca y que, a pesar de su marido y de sus cinco hijos, se había enamorado del rey, había querido casarse con él, y luego, desesperada, se había colgado de una cuerda y se había lanzado al pozo. Nunca se me fue aquel hedor suave y dulce que salía por las rendijas de la tapa, de aquel pozo encantado. ¡Qué cosa más extraña era la muerte! La muerte era también ese perfume apagado, como un vaho nocturno, que se desprendía de las hojas muertas del patio. Porque nada existía en ese momento, en el puro invierno, con la racha de viento que cortaba como una navaja de afeitar, delgada y fina, pulida y suave. ¿Qué pa-

sará en las estrellas, en esos puntos blancos, como puntada de hilo brillante, tan lejos y, quién sabe, si cerca de nosotros? ¿Qué sabrán ya los muertos de todo eso? Me daba vueltas en la cama, palpando esos miles, millones de ecos, casi imperceptibles, de los animales. La incomodidad del frío. El ronroneo de los gatos y de los árboles temblando vivos. Era como si sintiera la vida en mis propias manos, en mi boca tierna, en mis ojos. Por eso, no sé, acaso también por otras cosas, me puse a llorar, y llorando me tiré las horas y llorando me desperté al día siguiente...

CUNDIÓ por el pueblo que, a las doce, todos los días se sentaban las locas en la plaza a tomar el sol. Cruzaban las piernas, montadas la una sobre la otra, y fumaban cigarrillos perfumados que sus maridos, golosos de señorío, se hacían traer de contrabando. Muchos aseguraban que aquellos cigarros especiales procedían de las fábricas de don Juan March, y otros que eran de procedencia inglesa, de Gibraltar. El caso era que, a las doce, todo el macherío local soltaba sus herramientas para hacerse los remolones junto al pilón, como que hablaban de algo o como que liaban petardos con hojas de papa, como si a ellos también les hubiera entrado la rareza del sol, para mirar con disimulo y con deleite las entrepiernas de las dos señoritas que, alguna vez, se dejaban ver hasta la liga.

Semejante escándalo llegó a nuestra casa, y muchas veces, desde la persiana, vi a la abuela contemplar, con los labios apretados, aquella desvergüenza. Daba patadas con la punta del bastón, y yo veía crisparse su mano delicada sobre el puño, como si, de aquella manera, o de alguna otra, retorciera el cuello de aquellas dos hijas suyas, salidas de su carne y de su sangre, aunque no podía explicarse el cómo, el cuándo y el dónde de aquella corrupción y de aquella lascivia.

Y otro tanto le pasaba a mi madre, repitiéndose a sí misma: ¿has visto? ¿Has visto qué poca vergüenza? Porque, para mí, lo peor, es que las dos locas sabían que eran observadas, espiadas por la abuela y por mi madre, y es posible que hasta exageraran por ese motivo, con aquel alarde del fumerío, de risas y de

tijereteo de piernas, significando, en definitiva, la entrada de los tiempos modernos en el pueblo.
La abuela se esforzaba en meternos en la cabeza que ella había educado a sus hijas en la doctrina de la Iglesia, enseñándolas a ser recatadas, honestas y, sobre todo, limpias. Porque una mujer limpia brilla lo mismo que el sol. Y se quedaba fija, penetrando con sus ojos en el fondo de los nuestros. Parecía que taladraba con aquella mirada segura, hasta el punto de que había que cortar y mirar para otro lado. Llegó a sacar del *bureau* una cajita perfumada, aquellas fotografías de sus hijas, vestidas de blanco, con una corona en la frente, el día en que don Liberado, el pobre, les administró el Sacramento de la Eucaristía. Allí estaban quietecitas, candorosas, las dos niñas de sus ojos, junto a una mesita con el tablero de mármol, con un Niño Jesús de Praga. Ésas eran sus niñas, señalándolas con el dedo, y no ésas, a las que ni yo misma conozco...
Los días seguían helados. Y el sol se retiró por bastantes de ellos, dejando limpia la plaza. Otra vez volvieron las nubes, oscuras y densas, que parecían caer como mantas sobre la sierra y los frutales desnudos. Los caminos volvieron a quedarse desiertos. Sólo se veía clavada aquella fila interminable de álamos, como espadas, con los troncos pintados de cal, abigarrado encuentro de lanzas. Hasta la guerra tenía que haberse paralizado. El viento cortaba, y, cuando menos se esperaba, el campo aparecía cubierto de nieve, hoja blanca y suave de papel satinado y limpio. La tierra, el mundo, todo parecía haberse quedado vacío, sin nadie. Gritaba, y aquella soledad parecía devolverme

las palabras. Era como si, de pronto, hubiese hecho un viaje muy largo y me encontrase ahora en otra parte. Y era verdad que podía haber ocurrido así: muchas veces tiene uno la sensación de que ha estado aquí o allá y de que ha visto a personas que nunca ha visto. Pero, la verdad es que el invierno nos encerraba a todos y nadie se atrevía a poner los pies en la calle. Se veía un niño correr por la nieve y quedaban sus huellas marcadas, los dos hoyos repetidos, que venían y que se iban. Incluso, alguna vez, en un rincón de la pared de la iglesia, recuerdo a tres o cuatro hombres puestos allí, tomando un sol flaco, medio pálido, que hacía un triángulo débil, sin fuerzas y sin calorías, que pronto se fundía con la nieve. Mi padre se entretuvo haciendo en el huerto un muñeco, un hombretón, al que puso un cigarro en la boca y una boina vieja en la cabeza. Era un muñeco tonto, que destruimos después a fuerza de pelotazos, pero al que, recién hecho, toda la casa fue a contemplar. Recuerdo a la abuela, superabrigada, con los guantes de lana y el bastón, sacando sus ojos manchados de la barrera del tapabocas. Pero, ahora, en general, le gustaba poco bajar al huerto, porque le daba no sé qué tristeza que ni siquiera a mí confiaba. Se pasaba las horas junto al fuego, sin apetito, sin interés por nada, hasta el punto de que oí a mi padre preguntarle a mi madre, ¿has visto cómo está la abuela? Y mi madre la miraba en silencio y asentía, como diciendo que ya se había fijado y que aquella actitud le preocupaba y la tenía pesarosa. Por eso trataba de animarla, de decirle, anda, bébete esto o, ¿por qué no haces alguna cosita para el niño? De momento

parecía reanimarse, intentar, ella misma, salir de aquel alejamiento; pero, en seguida, la veíamos de nuevo con las dos manos caídas, fija la mirada en un punto inconcreto, pensativa y lejana.

—No me gusta lo que le pasa a tu madre — repetía mi padre, andando a cojetadas alrededor de mi madre, que era como el todo de la casa. Creo que sin ella la máquina se habría detenido.

Ella no hacía ningún comentario; se limitaba a mirar, a derramar sobre la vieja sus ojos amantes y preocupados.

—Es mejor dejarla — le oí susurrar.

Yo me sentaba a su lado y alguna vez notaba cómo su mano flaca buscaba mi cabeza y la dejaba descansando allí, como si no quisiera quedarse sola. Le gustaba saber que yo estaba a su lado, pegado a su falda. A veces le decía:

—Abuela, ¿por qué no hablas? ¿Qué te pasa?

Y notaba entonces ese intento suyo por soltar la risa secreta, esa complicidad conmigo sobre cosas determinadas. Porque acaso fuera yo el único que se diera cuenta de que aquella enfermedad no era más que un pretexto que ella se había buscado con el único objeto de cavilar y pensar en sus problemas. Pero, a pesar, yo también sabía que estaba acobardada, abrumada por aquellas locuras de sus dos hijas solteras, casadas a la espalda de Dios y de su Santa Madre. Por eso le temblaban las manos y sentía cómo se le ponían tensas, electrizadas sobre mi pelo, perdidas en ese mar que deben ser los recuerdos de una mujer con tantos años.

La tarde se hacía ceniza por el balcón. Pasaban las

nubes como gusanos, redondos y negros, caminando lentamente y derramando su enorme gusanera sobre las casas y los campos. Volvían a ladrar los perros. La guerra parecía haberse quedado lejos, que hubiese dejado de existir, como si no se la viese por ninguna parte, ni a derecha ni a izquierda, a no ser por la ostentación bélica del Crisólogo y sus camaradas, a quienes la lejanía del frente estaba aburguesando y se les veía más muelles, más cachondos, más relajadamente felices. Incluso se les notaba no sé qué simpático para que las puertas de nuestra casa se les abrieran y poder entrar y salir del mismo modo que Perico por la suya.

No había que olvidar que las circunstancias habían convertido al Crisólogo en el mandamás del pueblo, en el personaje más importante, cosa que trató de probarnos siendo generoso con nosotros en la distribución de los alimentos y en otras ventajas.

—Como verán, los socialistas no somos tan malos como por ahí dicen —comentaba para que llegara hasta la abuela.

Pero eso era algo que ella jamás hubiera consentido. Si era necesario morir (y lo decía con frecuencia), moriría.

—Yo ya soy vieja, y ni vosotros, ni el pueblo, ni nadie va a ganar nada con mi muerte.

Por eso rechazaba sucesivamente todas y cada una de las generosidades del Crisólogo, a quien, naturalmente, desagradaban aquellas orgulleces de los Fernández, tu familia, como le decía a su mujer, quien lloriqueaba a causa de las tonturas de la abuela, tan emperrada en un pasado muerto, en una historia de

fábula, cuando todos los hombres y todas las mujeres somos iguales.

Yo sabía que eran estas cosas las que tenían aletargada a la abuela, las que la mantenían inmóvil en la butaca, muda, sin ganas de hablar, como otras veces, y recontarme tantas y tantas cosas de su vida y de la casa. Sabía que tenía que estar en guardia, atenta al primer ataque de aquel hombre importante, casado, bueno, con una hija suya, con su Peregrina, tan llorona, siempre tan blanca, con aquellos ojazos que le cogían toda la cara. Y movía la cabeza pensando, sin decir, como yo la veía, como si tuviera delante, a trasmano, a aquellas dos prendas suyas, a aquellos dos tesoros míos, a las que todas las noches miraba en su alcoba, para besarlas o para amenazarlas, antes de meterse en la cama. Ahora, cuando llegaba ese momento y la luz de aceite, sobre la mesa, se apagaba de un soplo, la oía caminar vencida, como si alguien le hubiese cortado las alas, y se escoraba sobre el bastón, quejosa, dolorida, arrastrando el dolor de mis dos niñas.

—Ya no son ningunas niñas —protestaba mi madre—. Ni están locas, ni están nada: las dos saben muy bien lo que se hacen.

Pero ella protestaba. Protestaba aun respetando la opinión de mi madre. Para ella eran, serían siempre, dos criaturas, dos niñas tiernas, desvalidas, dos pedazos de mi corazón. Y no lo podía remediar.

Por eso la veía renqueando, casi arrastrada por la pata de venado de su bastón, lento, despacio, sin energías, caminando por el pasillo.

Aquellos desaires de la casa ocasionaron la detención

de mi padre, acusado de enemigo del pueblo. Era el único hombre de la familia y hubiera estado mal apresar a mi madre o a la abuela: hubiera sido inicuo. Para eso estaba mi padre. Nadie protestaría de que fueran a por él y de que lo sacaran de la cama, una noche, cuando el frío era más intenso y caía una llovizna helada y tétrica. Lo recuerdo mientras se vestía, sin entender una palabra, sin comprender el sentido de aquella acusación, siendo así que era un hombre políticamente neutro, que no estaba ni aquí ni allí. A él lo único que le preocupaba era su tienda, su familia y aquella pata desgraciada que tenía que llevar, como un lastre, a todas partes.

—En mi vida me he metido en política — le oí decir mientras se ponía la chaqueta —. Ni en política, ni en nada.

Aquellos hombres lo miraban en silencio, sin saber qué comentar, esperando tranquilamente a que acabara de vestirse.

Era mi madre la que se obstinaba en convencerlos de que mi padre, al que veían, no era sino un trabajador, un hombre de la calle, un hombre de acá para allá, lo mismo que ellos. Es posible que aquéllos, apontocados en la puerta, con los máuseres en la mano, sin dejar de mirar los retratos y las lámparas, es posible que se creyeran todo lo que mi madre les contaba, segura de que ellos eran depositarios de la justicia y de la libertad. Pero aquéllos se limitaban a escucharla, a no decir nada de nada y a esperar pacientes a que el preso terminara de una vez de vestirse, de coger sus cosas y de llevarse una manta, una noche como aquella.

Desde la cama oí a la abuela preguntar, a gritos, ¿qué pasa? Y a gritos le contestaba mi madre diciendo que se llevaban preso a mi padre, una noche como esta, sin saber ni los motivos. Seguía a todo esto un rosario de protestas, un ronroneo, un alarido seco, acorralado, cuyo sentido trataba de entender. Puede que el único que no dijese nada, asustado y sin palabras, fuera mi padre. Yo lo veía a través de la puerta, a medio abrir, de mi cuarto. Me parecía más pequeño, más pálido, como si, de pronto, se hubiera reducido a la vista de los dos guardias de gorra y fusil, que lo miraban y hasta le ayudaban a meterse la ropa, como si no tuvieran nada que ver con todo aquello.
El reloj de la sala dio las once, y las once campanadas sonoras y profundas hicieron volver la cabeza a los guardias, confusos y admirados, que no sabían qué hacer para disculparse por la detención. Trataban de que se les notase claramente que ellos se limitaban a cumplir una orden pero que, debajo del uniforme, eran lo mismo que tú y que yo. Hasta se sintieron obligados a tranquilizar a mi madre, quien había terminado por derrengarse en una silla y lloriquear en cuanto vio que mi padre estaba ya listo para la marcha. Lo vi entrar en mi cuarto y, sin dar la luz, me puso la mano en la cara, me besó y me dijo, pórtate bien y cuida de tu madre y de la abuela. Estaba helado y su frío se me quedó en la cara toda la noche. Lo vi salir y le oí bajar la escalera, mientras aquellos hombres comentaban no sé qué. Vi aparecer, con una bata y un chal, a la abuela. Era ridículo verla allí, bajo la lámpara, junto a la mesa larga de caoba, con el velón. Como si

fuera a salir cacareando, con su cresta, su pechuga y sus espolones, Se movía, tris, tras, inclinada, con extraños vaivenes por el cuarto, que parecía rematar en un picoteo de gusanos. Era mi madre la que lloriqueaba, la que sobaba el hilo de su lloro, largo y lo mismo, que salía de su pecho afligido, oculto el rostro con el brazo.

Fue esa noche cuando, en un repente, le oí chillar a la abuela por ese hijo imprudente que se había ido de su casa, ¡de ésta!, y que vaya usted a saber qué casas son las que andará defendiendo por ahí. Picoteaba su bastón, con el pico afilado y metálico, engallado, con el plumaje revuelto, dispuesto para el salto.

—¡Hijo! ¿Dónde te has metido?

Porque esta y otras humillaciones y cualquiera sabe qué cosas más tendríamos que tragarnos mientras durara la guerra, esta maldita guerra que os habéis sacado todos de la manga, porque, por muchas vueltas que le deis al asunto, todos estáis locos y no hay un dios que os entienda.

Nunca vi a la abuela más enfadada, más salida de sí, casi dando saltitos, mientras repiqueteaba con su bastón que, de repente, se había vuelto enérgico, cargado de nervios, y que parecía traducir todas aquellas palabras suyas a un lenguaje fanático y desconocido. Era increíble la vitalidad de aquel simple bastoncillo con el que la abuela, como Moisés, era capaz de hacer tantísimas cosas. Yo la recuerdo, erguida en la cama, con la luz apagada, mirando por la puerta, a medio abrir, del cuarto, con la bata y el chal, a la luz de la lámpara de aceite que crepitaba sobre la mesa, ya que la luz eléctrica, que era muy pobre, se cortaba casi a la hora

de llegar. Oí el lloriqueo, el pecho roto de mi madre, que jadeaba sobre la silla, tapándose el rostro con el brazo. Pero, sobre todo, tanto ella como yo, creo oíamos los pasos imparejos de mi padre, saliendo, saliendo siempre escoltado por aquellos dos hombres uniformados, que llevaban colgado del hombro un máuser viejo y manoseado.

Fue imposible cerrar los ojos aquella noche, porque toda la noche estuvo llena de aquel galimatías, de aquella serpentina rota, perdida e interminable de palabras, de ecos y de signos, cuyo significado llegué a perder casi por completo, como si de repente la habitación y la cama anduvieran a la deriva sobre el mar, o sobre un río, y no encontrara la orilla por muchos esfuerzos que hiciera.

La mañana amanecía triste, con sus nubes grises, como paños, al otro lado de la ventana. Veía las ramas delgadas y muertas de los frutales. Tan helado, y tan sin nada, todo. Por la puerta, todavía encendida la lámpara, veía las piernas de la abuela, encogida, ovillada en un sillón, tapada y medio oculta entre sus ropas. El cansancio, por lo visto, había terminado apagándola, dejándola desbaratada y deshecha. Me levanté, salí despacio y contemplé a las dos mujeres dormidas, encogidas y frágiles, a las que cubrí con una manta. Las miré, como si se hubieran quedado esperando alguna cosa. Era una sensación rara, un amargor, un no sé qué, que de pronto empezó a subirme, a marearme, a estropearme mi pequeña vida. Apagué la lámpara, y yo también, sin saber, me quedé allí sentado, esperando lo mismo que ellas esperaban...

COMO es lógico, la detención de mi padre fue un golpe para la casa. Y la verdad era que, hasta entonces, ninguno habíamos advertido suficientemente la importancia de su ausencia. Pero ahora las cosas estaban así. Lo echábamos de menos a la hora de la mesa, de sentarnos de noche junto al fuego, y a la hora de los comentarios. Su silencio flotaba como algo vivo en medio de nosotros. La presencia de su ausencia, su vacío, su no estar, era algo palpable, que se definía y nos hacía pensar en que no estaba. Sobre todo, me daba cuenta en mi madre, quien parecía haberse quedado sin interlocutor y permanecía horas y horas en silencio, sin saber qué comentar, distraída, con la cabeza puesta en una hipotética situación imaginaria, en la que, posiblemente, mi padre unas veces estaba bien, igual de libre que antes y, otras, era el hombre más desgraciado, más perdido y más condenado del mundo, puesto que veía a mi madre afligida, a lágrima viva, protestando de aquellas dos arpías, que eran sus hermanas, que habían consentido un atropello semejante.

La luz de enero entraba fría, sin color, como si se perdiera en el aire antes de tocar el suelo. Todo parecía haberse calcinado. A veces, entre las nubes que se arremolinaban en los picachos, emergía uno de aquellos dientes blancos de la sierra como clavado en un trozo blando del cielo azul y limpio. Me entusiasmaba la contemplación de este paisaje que, por otro lado, me producía no sé qué turbación, ya que mi creencia era que, al otro lado de aquella cumbre nevada y brillante, forzosamente tenía que encontrarse la guerra, con sus cañones y su tropa, en lucha peren-

ne. Eso tenía que ser, más adelante, en primavera, el color anaranjado de las nubes, cuando el sol se perdía, cayendo en el ocaso. Por otro lado, los aviones solían aparecer por aquella parte, traspasados de luz, cuando empezaron a venir casi siempre a la misma hora y bombardeaban el ferrocarril, entre los cerros, como a tres o cuatro kilómetros del pueblo. La tierra temblaba y en seguida, veíamos cómo el humo subía negro, manoteando entre los árboles.

Pero todo eso, como otras muchas cosas, se fue convirtiendo en una costumbre. Las gentes del campo se detenían un instante y levantaban la cabeza para seguir el vuelo de los aparatos, que pasaban grandes, llenos de sol, con aquellas teticas negras (que ellos veían) y esperaban unos segundos, hasta que oían las explosiones. Después, seguían en lo suyo.

Para nosotros, naturalmente, tenía que ser distinto. Mi padre estaba en la cárcel, en la ciudad, y no sabíamos qué suerte podía correr. Por eso, cada vez que venían los aparatos, mi madre se ponía a rezar, a encender velas y a decir Dios mío, Dios mío, hasta que otra vez los veía de regreso, hasta que se perdían de vacío. Lo peor fue que le entró de repente no sé qué intranquilidad por mí. Me estaba llamando a cada momento.

—¿Dónde te has metido?

Y no le valía que le dijera que estaba jugando aquí o allá. No quería que saliera de la casa.

—Tú no te muevas de aquí — me amenazaba.

Porque, pienso, sintió de repente sobre sus hombros la responsabilidad de que pudiera pasarme algo y trataba de protegerme. Se ponía nerviosa y, a lo me-

jor, se pasaba el día regañándome, diciendo que le estaba amargando la vida y que me había vuelto un desobediente y un maleducado. La verdad es que yo era el mismo de siempre. Lo que ocurría es que también yo crecía y sentía la necesidad ineludible de correr por la calle y jugar, simplemente jugar, con los otros niños. Pero ella persistía en su negativa, en que yo no tenía por qué hacer lo que hacían los otros niños, y que si patatí que si patatá. El final era un enfado general, rabietas y lloriqueos, en los que tenía que mediar la abuela defendiendo, a su modo, mi punto de vista y mi necesidad vital de correr, como los pájaros.

—¡Los pájaros!

La abuela giró sobre sus talones y, despacio, pasito a pasito, apuntalada por su bastón, sin dejar de decir pobrecitos míos, porque, con aquellas cosas, se había olvidado de la pajarada, y por eso iba caminando, chupeterreando palabras como poniéndolas así, masticadas y blandas, ensalivadas, en los piquitos dulces, lindos, de aquellos pajarillos que había heredado del pobre don Liberado. En cuanto abrió la puerta de la pajarera, a puñados se le arrojaron sobre su cuerpo, sin dejar de piar, lo mismo que mariposas gigantes o como pedazos de papel vivo, encendido, que no fuera posible detener. Entraba el sol por la ventana enrejada cubierta de tela metálica. Desde la puerta oíamos el palique de la abuela con sus amigos los pájaros, hablándoles como si pudieran entenderla, porque, indudablemente, existe un lenguaje, no de palabras, por el que las personas, los animales y las cosas se comunican.

Mi madre me llamó, me llevó a un aparte y me dijo:
—Me han dicho que ayer hablaste con tía Peregrina.
No pude negarlo. Y lo curioso es que no sabía cómo ella había podido enterarse, ya que, en ese momento, no había cerca ninguna persona. Pasó que yo iba por la calle y ella, de pronto, desde un balcón, me dijo ven, y yo, acordándome de lo que me había dicho mi madre, no sabía qué hacer. Porque, además, estaba como siempre era: tan blanca, con los ojos recién pintados. Me quedé embobado. Esa indecisión fue la que ella aprovechó para bajar y salir a la calle y decirme ven aquí, porque me llamó desde las puntas de sus dedos finos, con las uñas pintadas, y desde sus labios azules, con los que me besó en la mejilla, llamándome mi niño y niño mío. Era sincera y se alegraba realmente de verme y de acariciarme, mientras se le caían las lágrimas y rompía en uno de esos monólogos suyos, confusos e inconcretos, con el que trataba de desahogar su corazón, empapado como una hoja tierna.
Yo no supe qué contestar a mi madre. Tenía la impresión de que había sido sorprendido mientras hacía alguna marranada. Por eso bajé la cabeza.
—Te dije que no te acercaras nunca a esa mujer. Ni a ésa ni a la otra.
Y por primera vez, acaso la única, sentí sobre mi rostro su mano abierta, que me hizo tambalear y salir de allí sin soltar una lágrima.
Claro que, detrás de mí, yo sentía la agitación de mi madre, su rezo de palabras condenatorias, con las que me advertía seriamente que jamás, ¿me oyes?, jamás, volviera a mirar, ni a escuchar, ni a nada, a aquellas dos indignas, que ya no son de nuestra familia.

Porque la detención de mi padre había terminado, creo, por encizañar el corazón de mi madre, cuyo rencor hacia aquellas hermanas locas y hacia los hombres con quienes vivían se acrecentaba día por día. Muchas veces me paraba a verle, con disimulo, los ojos y me daba cuenta de que su cabeza era una máquina disparatada, en constante acción, que ninguna cosa sería capaz de detener. Incluso nos sorprendía a la abuela y a mí con alguna pregunta o con alguna afirmación fuera de lo corriente o que, en ese momento, no comprendíamos el porqué.
Fue entonces, por la cara de preocupación que ponía la abuela, sentada en su mecedora, con las manos escondidas en su manguito de pelo de zorro, cuando empezó a pasarme por la cabeza el que mi madre, con aquellas cosas, estuviera perdiendo también la cabeza. Porque todo el mundo sabía que la gente de nuestra casa no era esto, precisamente, lo que tenía más en su sitio y todos teníamos no sé qué fama de medio locos.
Los días, sin embargo, siguieron su marcha. A los tristes y duros del invierno, pronto seguirían los húmedos y claros de una primavera que parecía, en medio de una guerra, imposible. Las noticias de mi padre eran muy escasas. Alguna vez vi cómo mi madre se desplazó a la ciudad para verle y luego volvía pocha, con los ojos hundidos y apagados. Se sentaba un rato con la abuela y, en un palabreo monótono, le contaba los ánimos con que había encontrado a mi padre, las cosas que se contaban en la ciudad y las personas (sobre todo parientes) con los que se había encontrado y hablado sobre los tiempos tan calamitosos que se

estaban viviendo. Yo asistía medio dormido a aquel diálogo en el que las palabras vivían solas y había que ir cogiéndolas al vuelo y colocándolas, una a una, como los cromos en un álbum. Cuando abría los ojos, casi siempre me encontraba con el rostro pintarrajeado de la abuela, su labio medio caído y ese gesto de conmiseración, de comprensión por las cosas que estaban ocurriendo, pensando, pienso yo, que todo lo de aquí es pasajero y que, en definitiva, todos somos peregrinos, como diría la Santa, detenidos una mala noche en una mala posada...

Era maravilloso contemplar, desde la ventana, cómo empezaban a florecer los almendros. Aquella nevada sutil sobre los árboles tiernos, casi niños, con su corazón de agua dulce y las nubecillas tenues rotas, como pedazos de luz flotante sobre las ramas recién nacidas. Claro que, generalmente, una noche cualquiera, se presentaba la helada lo mismo que un ladrón, y con su hacha de nieve cortaba celosa, una, a una, aquellas flores inocentes y limpias.

Hasta nuestra casa llegaba la risa de las dos tías locas, vueltas a sentarse en la plaza, a tomar el sol, con las piernas cruzadas y los cigarrillos perfumados. Y ahora era peor.

—Porque no tienen sentimientos, ni vergüenza, ni nada, sabiendo lo que ocurre en esta casa...

Decía mi madre, cerrando, como las hojas de un libro, una a una las ventanas, con lo que trataba de borrar aquellas risas, aquellos gritos, ese hablar de ellas, sentadas allí, sin decoro, a sabiendas de que los hombres del pueblo andaban encochinados junto al pilón por darse el gusto de verles las piernas.

AHORA, la tarde, cuando se calmaba el viento, mucha gente salía a pasear a la carretera, a tomar el sol, que pasaba como una hoja limpia entre las sombras y los troncos de los árboles. Todo se iba transformando en turquesas, en un mar de olas verdes y granates, con su cresta de florecillas silvestres, de margaritas y de luces extrañas. Parecía casi imposible que de la muerte de un invierno como aquél hubiera podido salir una primavera como ésta. Porque todo parecía haberse inventado de repente. De repente todas las cosas tenían un sonido, el nuevo, el de siempre. Y se veían los pájaros, a millares, como bulanicos con alas, cayendo a bandadas sobre las copas de las alamedas. El pueblo quedaba allí, pincelado de cales nuevas, con sus tejados y sus chimeneas de ladrillo, medio rotas, por las que salía el humo, que luego se derramaba y parecía querer volar, deshacerse como un pájaro de nada. Yo me paraba a mirar estas cosas desde la ermita. Nadie se había metido a quitar de allí la imagen de la Virgen, entre llamas de escayola pintada, rescatando las ánimas desnudas, con barbas, que purgaban en el Purgatorio. Hasta alguien seguía colocando allí su lamparita de aceite, que ardía en un rincón, humilde como una viejecita. Veía la torre ahumada de la iglesia, con la veleta y la cruz torcida sobre aquel cielo azul. Y entonces, no sé por qué, me acordaba de otros días. Porque es verdad que hay momentos en los que el espíritu, por no sé qué motivos, se siente perdido y añora la luz de otra luz, el aire de otro día o las palabras que flotan, que no se han ido, que están alrededor de nosotros, siempre aquí, y sólo esperan el momento oportuno, igual que aquel igual, para vol-

ver, para repetirse... Oía el zumbido de las moscas sobre las boñigas de los bueyes, ese ir repetido de los moscones azules, grandes, que van y vienen y luego, lo más, se marchan carretera abajo, entre el repetido corte de los árboles, manchados de cal, idos hacia adelante. Y no se oía nada, como no fuera ese hervir de los insectos y de las moscas. Sólo ese resplandor de las casas, de los campos, de las moreras, y el sonido limpio y recortado de las palabras, con los nombres que venían aislados por el aire.

La abuela, cuando llegaba, me decía:

—A ti te pasa algo.

Yo no decía nada. Me sentaba y me quedaba callado. No era que me pasara, era sólo que se me llenaba la cabeza de pensamientos, de tristezas y de personas. Me ponía su mano vacía sobre la cabeza, entreviendo, quizá, lo que pasaba dentro de mí. Luego empezaba con una de sus charadas, con uno de esos acertijos raros, en los que era muy difícil dar con el resultado. Oía su risita blanda, que se le deshacía en la boca, lo mismo que un caramelo. Veía sus manos sobre la mesa, o sobre los brazos del sillón, rellenos de vacío, con azules y verdes llenando su dorso como un mapa. Me repetía:

—Anda, cuéntame: a ti te pasa algo.

Yo negaba con la cabeza e insistía en que no me pasaba absolutamente nada. ¿Qué podía pasarme a mí? La abuela quiso ponerme otra vez su mano hueca en la frente, buscarme esas ideas que ella sospechaba me estaban molestando, y, atrayéndome, me dijo: Anda, ven, si te portas bien puede que te cuente un día otro de mis secretos. Vi sus ojos cómplices, su

dedo con el que trataba de advertirme de algo dulzón y misterioso, hasta el punto de que me quedé fijo, atento, esperando ver en seguida esa nueva historia interesante y maravillosa. Pero la verdad verdadera es que yo no tenía nada que contar, porque todo eso que me pasaba era sólo un estado de ánimo, uno de esos momentos en los que la vida no vale nada y a uno no le importa morir...

Por eso vine al balcón y me quedé mirando el pedazo de azul, ligeramente iluminado, que restaba en el cielo cuando el sol trataba de perderse, tapándose con un pañuelo de nubes largas y rosa, amarillas, a punto de apagarse. ¡Cuánta melancolía! ¡Qué enorme tristeza entre los árboles, en el aire, en la penumbra de la casa, en la tos y en los pasos de la abuela! Como si ninguna cosa existiera ya y todo hubiera perdido repentinamente su interés.

—¿Te acuerdas de tu padre?

Oí la voz de ella acurrucada entre sus labios, desmenuzada y tierna, como si tuviera el don de penetrar en los menores sentimientos.

No le contesté, pero me eché a llorar.

—Tonto, tonto —me dijo—; pero si no le pasa nada...

Se le iluminó la cara, grande como el sol que se perdía, con aquellos ojos de mermelada con los que trató de quitarme la pena.

Porque era pena lo que yo sentía en ese momento: un dolor profundo, amargo, que me hacía una trenza en el cuello y apretaba, como en un puño, mi pobre corazón solitario.

No debí consolarme tan pronto. Claro que, en ese mo-

mento, el llorar era un placer al que yo no estaba dispuesto a renunciar. Nada existía en ese momento más agradable, más tierno, ni más hermoso como ese dulce lloriqueo que salía de mis ojos y de mi alma. Por eso me dejaba mimar y acariciar, sintiendo sobre mi rostro el roce de los labios húmedos, pintados, con sabor a cereza, de la abuelita buena, de la abuelita vieja, quien se empeñaba, con sus poquitas fuerzas, de mecerme lo mismo que a un rorro. Sentía su vocecita, las palabras que sacaba encadenadas de su boca, y que canturreaban sobre un mocito que tuvo que ir a Roma a ver al Papa...

Cayó la noche y las casas, por el balcón, parecían casas-fantasmas, con sus paredes blancas y sus ventanas brillantes, en donde, todavía, se miraba, como en el agua, el cielo crepuscular que, poco a poco, terminaba. Volvió, otra vez, el frío. La primavera era todavía muy joven, y al atardecer el viento bajaba caballuno de la sierra, helado, con sabor a nieve derretida...

LA guerra, en su camino, llevó pronto hasta el pueblo la baba de los refugiados. Era la espuma desorientada de una marea incontrolada con la que, hasta entonces, nadie había contado. Llegaban como meras bestias, perdidos los unos de los otros, sin acordarse, muchas veces, ni de sus nombres. Se sentaban en cualquier parte y se quedaban las horas así, perdidos nadie sabe en qué lejanos laberintos, en qué camino de la miseria, en qué lugar exacto de la catástrofe. Porque la mayoría llegaban con lo puesto, descalzos y hambrientos, fantasmas de la huida y del terror. Se sentaban en la plaza, junto al pilón, frente a la iglesia, como si esperasen que la Providencia, más que el Socorro Rojo, se hiciera cargo de la situación tan angustiosa en que venían. Todo el mundo salía a sus puertas para ver aquel desfile de ganado, aquel pasar y pasar de hombres, mujeres y niños que hacían sus necesidades en cualquier parte y que, una vez ligeramente alimentados, se peleaban como perros y corrían por el pueblo en una persecución alucinada e interminable. En principio se les habilitó la iglesia como lugar de refugio, pero, en seguida, dado que aquella masa crecía y crecía constantemente, no hubo más remedio que ir alojándolos en las casas del pueblo, en una requisa que ordenó el Crisólogo y que dejó a todos descontentos, ya que, en gran parte, se oponían a que aquella miseria se les metiera por dentro. El pueblo, en pocos días, fue sacudido por una invasión de piojos y de sarna, de picores tremendos, que ni el azufre ni el zotal bastaban para combatirlos. Todo el pueblo parecía arder, y hasta los más remisos acababan por meterse en sus casas y, a escondidas, se despojaban de

sus prendas para despiojarse o simplemente meterse las manos en los sobacos en un placer infesto y miserable.
De nada le valió a la abuela oponerse a que se alojaran refugiados en nuestra casa. A pesar de sus protestas, de sus intentos de bastonazos, de sus gritos histéricos e impotentes, la casa se vio en un santiamén invadida por la turbamulta de aquella gente incontrolada que se instaló donde le vino en gana, apoderándose de sus ropas, de las cortinas y el mobiliario, reduciendo a cenizas lo que encontraban a su paso: mesas, sillas, cuadros y hasta las puertas y los marcos, que convirtieron en leña para calentarse.
A la vista de aquello, nunca fue la abuela más trasto, más estorbo, que sentada en su butaquita, en lo poco que había podido salvar, arrinconada en su cuarto, con el balcón entreabierto que daba al patio y desde el que podía ver aquel pozo de sus sueños y quimeras, donde yacían tantos recuerdos mágicos de su vida y de la mía, y de la vida de todos nuestros, ya muertos, antepasados. Porque por mucho que aquellos refugiados hicieron por levantar la tapa de hierro, fuertemente cerrada, les fue imposible conseguirlo, quedando, al menos, a salvo del sacrilegio. De noche, para admiración de aquéllos, por entre las rendijas, seguía desprendiéndose aquel hedor a fruta madura, a florecillas silvestres, cuyo origen, por mucho que lo intentaron, nunca llegaron a conocer.
Los días se iban volviendo tibios, y los árboles, ignorantes de tantas cosas de los hombres, volvían como si nada a cubrirse de hojas, de un verde intenso, vivo, que parecía incendiar el campo. Nosotros acertábamos

a ver las copas que sobresalían por el tejado, adonde venían a bandadas los gorriones. Con la invasión de refugiados se acabaron las palomas del huerto, ya que, una a una, fueron sucesivamente cazadas y sacrificadas, quedando borradas para siempre. Toda la casa olía a chamuscado, a basura, a restos de comidas imposibles, a meadas y a porquería de niño. Nunca jamás averiguaríamos de dónde procedía aquella baba, aquel oscuro turbión de harapientos y desheredados, en qué lugar del mundo habrían podido habitar y permanecer ocultos, ignorantes de la más mínima noción de convivencia. Pienso que ni siquiera el Crisólogo, con sus sueños de paraísos socialistas, era capaz de digerir aquella versión de la fraternidad indisciplinada. Y ello aun a pesar de sus discursos, de sus consignas y de sus ostentaciones justicialistas en pro de un reparto equitativo de los sufrimientos de la guerra.
—Estos hombres, estas mujeres y estos niños son nuestros hermanos...
A la abuela, una vez más, aquellas palabras amorosas del Crisólogo volvieron a sonarle a suplantación religiosa. Porque ponía en sus labios el mismo celo, el mismo candor, el mismo angustioso sentir que ponía el pobre de don Liberado las noches de Navidad, cuando no había guerra y los pobres venían a la iglesia. Pero, ahora, ¿cómo consolar a estas gentes? Se quedaba pensando todo esto, oyéndolos conversar a través del balcón, con sus historias increíbles sobre ciudades lejanas, caminos, bombardeos y matanzas incontroladas.
Cuando venía la aviación, aquella muchedumbre se lanzaba a la calle y se ponía a correr sin sentido, terri-

blemente asustada. Veían pasar los aparatos, grandes y claros, y perderse luego sobre los cerros, hacia el sempiterno ferrocarril, en donde lanzaban su carga explosiva. Temblaban las casas y un humo negro, como un árbol movido, florecía rápido abriendo sus ramas, extinguiéndose pesado y lento hacia las nubes. Algunos, más agresivos, echaban mano de las escopetas o de los máuseres que habían traído en la carrera y que guardaban debajo de la cama, y se ponían a disparar sin ton ni son, pretendiendo derribar a tiros uno de aquellos bombarderos. La empresa no dejaba de resultar ridícula, ya que los aviones pasaban intocables, casi bellos, sobre el cielo limpio, en su cotidiano bombardeo sobre la línea férrea. Después, cuando ya todo había terminado, cuando los aparatos volvían a desaparecer sobre las montañas, cuando la gente se detenía para hacer los comentarios de siempre, un algo extraño, cuasi animal, parecía flotar sobre las casas.

Era, quizá, la tristeza, ese aleteo de la muerte, ese respirar profundo y contenido de los momentos amargos. Hasta las palabras parecían poder cogerse con las manos. Todo tan suelto, tan despedido, tan sin saber a qué carta quedarse. Pasaba ese vuelo de alas tristes, esa brisa de lluvia agonizante, ese estar y no estar, ese ir y venir como el péndulo incansable de un reloj.

Y era terrible el silencio, el enorme y largo silencio que salía de las personas y de las cosas. Nada se oía; ni siquiera el vaho de la naturaleza, ese deglutir orgánico de las plantas y de los insectos.

—¿No se oye nada?

Oía a la abuela obsesionada con aquel silencio, como si todo fuese producto de la sordera que no tenía. Se

ponía la mano en la oreja y, a cojetadas, alcanzaba el balcón y se ponía atenta a escuchar lo que, de ninguna manera, se oía.

Quizá fuera mi madre la que mejor se adaptara a aquella situación, ya que, como si se hubiera olvidado de pronto de mi padre y de nosotros, se pasaba las horas de conversación con aquellos refugiados que llenaban la casa, a quienes iba regalando las pocas cosas que nos iban quedando. Pero yo, sin saber, estaba seguro de que aquello no era sino fruto de la enajenación familiar, del sufrimiento para el que ella, acostumbrada a una vida sencilla, no estaba suficientemente preparada. A través de la puerta oíamos la abuela y yo su voz monocorde, blanda, dialogando con aquellos seres anónimos que se sentían como liberados, comprendidos y hasta generosos, con la piedad de mi madre, con sus palabras y con el sello de tristeza que poco a poco se le iba marcando en la mirada. Hasta nosotros nos acostumbramos a ese verla entrar y salir, y hasta encontramos no sé qué descanso pensando que ese palique podía alejarla de las otras preocupaciones que pasaban por su cabeza.

La abuela me decía:

—Déjala estar; hasta se le olvidarán otras cosas.

Pero eso no era sino una simple apreciación. Porque mi madre había pasado de un plano a otro plano de la realidad, y su conversación se refería a un mundo alucinante y extraño para los demás, a una casa que era nuestra casa de antes y a un hijo que ella tenía (que era yo) y a un marido que también tuvo... Todos esos recuerdos parecían flotar en su memoria, tal cual si hablase de otras personas que éramos nosotros

y de otros tiempos, que no eran los nuestros. Porque había una felicidad escondida en aquellos días inventados, en aquel padre y en aquel hijo que nunca habían existido como ella los veía. Pero era claro que ella encontraba no sé qué refugio, no sé qué intimidad hecha a su medida que necesitaba compartir con aquella gente que, por no saber, podían creerla mejor que nadie.

—El alma es un misterio. No sabemos qué es el alma — le oía decir, meditando, a la abuela, aferrada a su bastón, el labio rojo caído, como si desde su butaca pudiera contemplar el mundo entero.

—¿Dices, abuela?

—No; nada.

Moviendo, negativa, su mano diminuta cubierta de arrugas, de hilos morados, lo mismo que la hoja de la parra. Hasta me parecía que podía caérsele, volar por el balcón a la calle, y que aquella mano suya se podía convertir, qué sé yo, en una hoja o en un pájaro, sin forma, quizá, pero bañado por un sol viejo, metálico y dulce. Por eso me prendió los ojos aquella mano suya que volvió a posarse sobre la empuñadura de su bastón y allí se quedó acurrucada, helada de frío, como si ya no tuviera ninguna esperanza.

—Has dicho algo, abuela.

Insistí. Quizá porque yo también tenía necesidad de su habla, de sentir que las palabras estaban allí, vivas, vivos todos nosotros, y no se sabe cuántas cosas más.

Por eso movió todo su cuerpo, su barbilla y su labio rojo, medio claro, que pareció temblar, como un péndulo. Todo su cuerpo se escoró al compás de su bastón hermano, bastón padre y bastón hijo que, en sus

manos, también pareció un remo navegando sobre las aguas procelosas, sobre la vida procelosa, sobre la carne y el fango y tantas cosas que forman el todo y la parte de la vida.
Me miró y quiso dibujar su sonrisa de entonces. La luz entraba secante por el balcón. Ahora el sol brillaba sobre el tejado, iluminando las copas de los árboles que sobresalían.
—La casa parece un lazareto.
Fue lo que se le ocurrió y se echó a reír. Porque era verdad que la casa, con tanta gente, con tanto escándalo, con tanto gritar y chillar, era poco menos que un manicomio o una leprosería.
—Quién se lo iba a decir a tu abuelo...
Y volvió a reírse, apagando la risa en el pañuelo, como si de repente hubiera descubierto el lado cómico o tragicómico de aquella situación absurda.
—La casa parece un campamento de gitanos...
—De gitanos...
Siguió repitiendo y hasta estuvo a punto de ahogarse con las sílabas y con las letras de aquellas palabras nómadas.
—Todos nos hemos convertido en gitanos...
—Somos una gitanería...
Siguió, sin cansarse de repetir la palabra:
—Un pueblo de gitanos... En eso se ha convertido este pueblo...

CON los refugiados, con las nubes primaverales y con los pájaros que, a bandadas, iban retornando a nuestros campos, llegó también la caravana inagotable del hambre. Era un chorro humano que manchaba la carretera solitaria, que la hacía interminable, que invadía los sembrados, que ocupaba los cortijos, que se colaba por las puertas de todas las casas, que pedía pan con los brazos desarbolados y que nadie sabía, por más que indagara, de qué parte del mundo venía aquel turbión encrespado que cambiaba por alimentos los objetos más inverosímiles. Se cambiaban desde ropitas de niño a sortijas de casada, desde camisas de señora a dientes de oro cuidadosamente arrancados, desde collares a chalecos de caballero... Y todo por una hogaza de pan, un trozo de tocino, un gallo, una gallina o un conejo. De repente, ante la nula validez del dinero, la tierra se transformó en un cambalacheo, en un trueque de esto por aquello, del sí por el no, del no por el sí, del amor por el desamor, de lo blanco por lo negro... Más que una necesidad para sobrevivir, parecía un vicio innoble del que nadie podía excluirse. Era aterrador comprobar hasta qué punto el hambre regresaba al hombre a su estado primitivo, que trastocaba por completo toda su escala de valores ante las exigencias imperiosas del estómago. Ya no era la guerra lo más importante: la guerra quedaba allí, detrás de las montañas. La guerra podía ganarse o perderse y, eso, ahora, a nadie le importaba. Lo importante era comer. Comer ahora y comer mañana. Comer cuando el estómago se había convertido en un déspota, en un animal glotón y repugnante que se pasaba todo el día aullando y que no se saciaba

nunca. Era terrible comprobar cómo a la falta de pan se había unido aquella plaga del hambre sin hartura, un hambre de termitas, de marabunta, en la que el alimento más ridículo, más despreciable, se había transformado en un don del cielo. A la vista de los tiempos, se comía hasta lo no comestible, llegándose a inventar un nuevo estilo de cocina, una nueva manera de guisar sin condimentos, que llegó hasta ser divertido. Porque a todo el mundo le dio por intercambiar sus recetas culinarias, en un afán inútil y enloquecido de querer engañar con fórmulas y palabras lo que sólo podía saciarse con alimentos.

A la noche todos caíamos agotados por ese desfallecimiento que da el no tener otra cosa que hacer que no fuera pensar en la comida. Nos contemplábamos los unos a los otros y ni siquiera teníamos energías para decirnos nada. Lo mejor era dormirse. El sueño, se lo oí a la abuela, también alimenta. Puede que fuera verdad. Por eso nos quedábamos dormidos, hundidos, desaparecidos, convertidos en nada valorable. El hambre es, sin duda, la plaga más atroz para cualquier pueblo.

Uno de aquellos días, ignoro el cómo y el de qué manera, alguien le llevó a la abuela, a escondidas, uno de aquellos panes morenos, de pulpa blanca, tierno e increíble, de los viejos tiempos. Cerradas las puertas, cerradas las ventanas, en silencio, despacio y con delectación, casi religiosamente, devoramos aquel delicado y hermosísimo pan redondo que olía de un modo inenarrable y único. Todavía me dejó a mí, mi madre, el placer de recoger las migajas, operación en la que, cariñosa, con sus manos tiernas, me estuvo ayudando

la abuela mientras, feliz, con esa felicidad miserable que da la pobreza, me iba contando, como en un cuento de hadas, los días grandes y hermosos de aquella casa en los que ella, tantas veces, había tenido ocasión de comer un pan tan bueno como aquél, blanco y rico, sabrosísimo, sabrosÍSIMO...

Y yo me la quedaba mirando casi incrédulo, maravillado de que alguna vez hubiera existido realmente el paraíso aquí, en la tierra, en nuestra propia casa. Me quedaba mudo y no sé qué caminos recorrería mi imaginación.

Un día le dije a la abuela:

—Abuela, yo me quiero morir.

La abuela se me quedó mirando, preocupada.

—¿Por qué dices eso?

—Para ir al cielo. Para hartarme de pan. Para no tener más hambre.

Aquel día, no sé por qué, también la vi cubrirse el rostro con las manos y quedarse pensativa. Luego la oí andar malhumorada por los pasillos, dando golpes con el bastón en las puertas y decir a gritos basta ya de esta guerra sin alma y sin corazón donde los mayores se divierten a costa del hambre de los niños...

DE todas las cosas que la guerra nos hizo perder, acaso ninguna tan dolorosa como la suelta de los pájaros de don Liberado, el pobre, aquella mañana de abril, cuando los refugiados fueron llevados por parejas y con su prole a nuestra casa. Nada tan triste y tan amargo como ver a mi abuela, cogida de su bastón, desamparada, trasladando, a nuestra vista, las jaulas hasta el huerto y abriéndoles la puertecilla metálica para que los canarios y los ruiseñores, que no querían, que se resistían a escapar, abandonaran para siempre su encierro y volaran libres por el cielo. Toda la mañana estuvo la abuela convenciéndolos para que se fueran de una vez, poniendo su mano de seda, como de agua tibia, sobre el plumón y el cuerpecillo de sangre caliente de aquellos minúsculos seres intuitivos. Sería al mediodía cuando todas las jaulas quedaron vacías y la abuela regresó pensativa para la casa. El sol manchaba de luz las paredes y los tejados. Yo oía el paso desigual de la abuela, el tris, tras, como un tijeretazo de sus piernas encogidas y aquel seco y aplastante caminar unísono de su bastón erguido, orgulloso, que ni siquiera volvía la vista para no desalentarse. Fueron los pájaros, estoy convencido, los que realmente terminaron aquel día una etapa completa en la vida de nuestra familia. Todavía volví los ojos para contemplar el cielo azul, sedoso, limpio, por el que, ahora, confundidos, volaban, a millares, los pájaros desconocidos, de aquí para allá, sin países y sin fronteras, dueños absolutos de la tierra. Me puse la mano sobre los ojos para seguir bien aquel juego de dibujos, de ires y de venires, y todas aquellas aves parecían flores vivas, sueltas, que el viento agitara como un temblor

de luces repentinas. Y me di cuenta hasta qué punto Dios ha querido que los pájaros, que son como nadas que vuelan, ha querido que cosas con ojos, con sangre y con plumilla se sientan como un festín de alas completamente felices. Por eso me quedé allí embobado, perdido de la abuela, abriendo por un instante mis brazos, queriendo volar, volar, volar como uno de aquéllos, sin saber hasta dónde.

Me llamó la abuela, golpeando seca con el bastón. Yo sabía que estaba disgustada. Que aquel paso, el tener que soltar la pajarada, tirarla a la calle, había secado el agua dulce de su alma dulce. No disimuló su mal humor, su gesto agrio que le rompía, a pedazos, cada una de las palabras que se le quedaban en la boca. Hasta me regañó, con el puño levantado, gritándome, ¿qué es lo que miras?

—Miro los pájaros.

Le contesté, con dureza. A sabiendas de que era esa contestación, precisamente, la que ella no quería escuchar.

—¡Los pájaros! —despectiva.

Y se volvió caminando, más escorada, más a punto de hundirse, con aquella cojera de charol de sus zapatos, siempre digna y con la frente bien levantada.

Pero aun cuando se fueran los pájaros, no se fueron sus trinos. Estaban allí, escondidos en aquel cuarto, en los pasillos, en el tejado y hasta en los entretabiques. Estaban en todas partes, cada vez más rotundos y más angustiosos. Teníamos que levantarnos de noche para ver dónde estaba lo que de ninguna manera hubiéramos podido ver.

La abuela se sentaba en la cama envuelta en un co-

bertor, y se ponía a gemir diciendo basta, basta, porque no se le iba de la cabeza, ni de los ojos, ni de la boca, ni de las manos aquella música constante y delicada de las docenas de pajarillos que había venido cuidando con tanto esmero...

Fue el tiempo, y acaso las lluvias repetidas de la primavera, las que terminaron por acallar esos cantos. Llovía intensamente. Como si a ella también se le olvidara que era perecedera y que tenía que dejar paso a los días limpios y de sol. Desde la ventana el agua caía densa y tupida, dejando el aire impregnado de un tierno sabor a tierra húmeda, a hojas limpias y a nubes azules, como caballos lanudos, abrigados y silenciosos que cabalgaran pateando sobre las casas y sobre la sierra. El viento era fresco, empapado de olores, de nuevas savias y de luces que comenzaban a nacer diminutas, microscópicas e inexistentes.

—Abuela —le dije— los pájaros, nuestros pájaros (ella sabía bien a los que me refería), ¿tú crees que ahora estarán con Dios?

Esta vez no pudo decir qué estupidez más gorda. No pudo decirme tú estás loco, qué cosas dices. Se cogió al puño del bastón, cerró los ojos y no pudo contestar.

Otra vez me volaban por la mente aquellas dudas extrañas: si los hombres pueden salvarse o condenarse, ¿por qué los animales o las plantas, que no han hecho ningún mal a nadie, que son limpios y puros, que son como las manos y como los ojos de Dios sobre la tierra, por qué, pienso yo, no van a ver también su rostro?...

—¿Me oyes, abuela?

—Te oigo.
—¿Por qué no me contestas?
—¿Quieres que juguemos a algo?
—No; quiero que me contestes.
—Ahora eres un niño; cuando seas mayor pensarás otras cosas.
—Pues, ¿qué cosas piensan los grandes?
Se me hacía un mundo saber qué cosas tan distintas y tan opuestas tenían siempre los grandes en la cabeza. Desde la ventana veía la plaza, el pilón, la acacia y la fachada de la iglesia con la puerta chamuscada. Los retratos monumentales de aquellos hombres que suplantaban tontamente a Dios y que nos miraban con una mirada hosca y asiática. ¿Por qué los hombres piensan que esos hombres pueden ser mayores que Dios?
No supo sacarme de dudas. Creo que eran los rezos de mi madre, sus palabras, los que me habían metido dentro esa obsesión de Dios, del cielo, de los ángeles y del alma. Todo lo demás es como papel mojado. Nada es duradero: todo acaba en un abrir y cerrar de ojos.
—Los hombres están locos — comentó la abuela —. Locos, locos...

EL hambre, en su riada, trajo hasta nuestra casa a una parienta de la abuela, la tía Encarnación, quien llegó aquella tarde con un grupo de mujeres de la ciudad que habían tenido que lanzarse por los campos en aquella búsqueda incansable de alimentos. Era una mujer menuda, de pelo corto, los ojos hundidos que, por faltarle la mitad de los dientes (quizá porque tuviera que vender la dentadura de oro) hablaba a silbidos, dejando que las palabras se le escaparan y se le deshicieran en la boca como globos. Mientras hablaba, veía cómo no dejaba de sobar una bolsa fláccida y vacía, como la teta de una cabra vieja, que tenía cogida de las manos. La veía junto a la ventana conversando con la abuela de forma imparable, tratando, en algunos momentos, de estar cariñosa, de poner sus labios húmedos sobre mi cabeza y de pasarme la mano por la cara diciendo qué rico está, qué guapo y qué rico. Pero daba no sé qué tristeza contemplar aquella mujer con sus taconcitos bajos, con su vocecilla de leche ordeñada, diciendo a cada pregunta de la abuela, tú qué sabes, tú qué sabes; porque, conforme hablaba, parecía como si fuera sacando de su boca una cinta larga, larga, en la que estuvieran escritos cientos de desastres, cientos de muertes incruentas de primos, cuñados, parientes y amigos. La abuela, con los labios apretados, se esmeraba en no perderse la lista completa de aquellas personas a las que ella había conocido, tratado o querido en algún momento de su vida.

—Tú qué sabes, tú qué sabes...

Seguía repitiendo aquella parienta rica, ahora pobre, que unas veces se sentaba, sin darse cuenta de que se

sentaba, y otras veces estaba de pie, sin saber que estaba de pie. Se secaba las lágrimas, sacaba de su bolsillo un espejito mágico y trataba en seguida de arreglarse el pelo y las pestañas, de terciopelo, que le caían sobre los ojos claros y húmedos.
El retrato vivo de aquella parienta de la abuela era, indudablemente, la imagen de algo que había muerto casi de forma definitiva. Era, más que los otros refugiados, el símbolo claro de que aquella guerra existía, de que era real, de que no penséis que en todas partes ocurre lo que aquí...
—Esta es una guerra horrible — recalcaba, levantando su mano delicada, con los guantes de cabritilla casi deshechos, en los que brillaban, por su ausencia, las bellas sortijas —. Horrible... — repetía.
Luego, en una de esas lagunas de la conversación, recorría con la vista todos los muebles, los pocos que quedaban en la casa. Los retratos, el tapete de hule que cubría la mesa, la lamparita, el aparador donde la abuela guardaba las poquísimas, las escasísimas cosas de comer que teníamos, y hasta la bata que tenía puesta mi madre y que ella, con arrumacos, como una niña boba, le pidió le regalara. A ti ya no te sirve o, tú tendrás otra por ahí. Y mi madre, sin pensarlo, se la quitó y se la entregó a la otra que, rápida, la guardó en seguida en el fondo de aquella bolsa sin fondo en la que hubiera cabido, seguramente, el universo.
La abuela, enajenada, renqueando, arrastrando el bastón que ahora no le servía, que se le había vuelto de repente un anciano, vino hasta la mecedora y se quedó sentada, con la frente pegada a aquella mano suya que parecía una hoja de álamo barrida por el venda-

val. No podía creerse aquella larga y horrible crónica negra que aquella parienta, como una mensajera del terror, había venido desde tan lejos, desde la misma raya del infierno, para contarle. Nada de aquello podía ser verdad.
—¿Y Enrique? —se le ocurrió preguntar. Yo no sabía, ni he sabido nunca, quién sería aquel Enrique.
—¿Enrique?
La parienta se echó de nuevo a llorar. Se buscó el pañuelo y se secó la nariz y los ojos, al tiempo que repetía: el pobre no pudo resistir esta clase de vida. Ya sabes tú cómo era Enrique. Tan serio, tan puesto en sus puntos... No pudo resistirlo y se murió...
—Muerto...
A esta respuesta seguía en seguida otra pregunta de la abuela, a quien se le había avivado la curiosidad y parecía, sentada allí, la luz triste entrando por la ventana; como si estuviese repasando una a una las hojas de un álbum bello y familiar, en el que las fotografías, al vaivén de la cabeza de aquella parienta, fueran desapareciendo de repente...
—Muerto... Lo fusilaron... Ha desaparecido... Está en la cárcel... No se sabe nada de ellos...
La guerra era mucho más cruel, mucho más terrible, mucho más despiadada de lo que todos habíamos pensado. ¡Qué pocos muertos eran los escasos muertos de nuestro pueblo comparados con aquéllos!... Hasta me pareció que la abuela no quiso contarle nada a su prima, por no desmerecer...
—¿Y tu hermano?
—¿Francisco? Ése era un republicano. Y tú sabes lo exigente que siempre fue. Cuando le hablamos de

Fernando (Fernando era mi padre) no quiso saber nada. Que cada uno pague lo que debe, fue lo que nos dijo, sin atender a nuestras súplicas. Faltó que nos echara.

El sol entraba por la hoja abierta del balcón. Se oía el bullicio de los pájaros en el campo. Era lo único que, cada tarde, nos llegaba limpio.

Al fin, la parienta Encarnación dio por terminada su larga confidencia con la abuela y se sentó, extenuada, en una butaca, lo mismo que una cosita vieja y trémula, como si toda su persona fuera ya sólo aquellas dos manos suyas, encogidas, metidas en sus guantes de los viejos tiempos, cogida de la bolsa larga y negra que se balanceaba viva entre sus piernas. Fue por eso que a la retahíla de las desgracias familiares siguió en seguida la cuenta de las necesidades materiales, de las hambres, de las colas, de los días sin pan, de los días sin nada de nada, de los días que más vale que no amanezcan...

Creo que sólo veía yo aquellos dos ojos claros, de agua perdida, como dos felinos suaves y tiernos, que esperaran agazapados el momento justo, el momento exacto, el justo momento para caer, como un rayo, sobre su presa...

—Si pudierais darme un pan, o medio pan, o un cuarto de pan...

Mendigaba abriendo a cada palabra, a cada pedazo de pan, la boca ávida de aquella bolsa que sólo esperaba engullir lo que le echaran.

—Vosotras aquí vivís de otra manera. Todo el mundo os respeta.

Oí la risita de la abuela, que le salió rota por las ren-

dijas de sus dedos. Tuvo que quitarse de la cara las lágrimas de la risa.
—¿Nos respetan...?
La vi cogerse, para no caer, al puño del bastón.
—Sólo nos han dejado lo que tenemos puesto. Ni el huerto. Nada.
Pero aquella parienta era obstinada y parecía no enterarse de lo que la abuela le estaba diciendo. Por eso negaba con la cabeza, abriendo de continuo la boca del saco, diciendo, con guiñitos azucarados, con guiños de pera en dulce, mujer, ¿cómo no vais a tener nada? Y miraba hacia los rincones segura, segurísima, de que algo tenéis que tener escondido...
Yo, desde el suelo, callado, sólo veía, como un péndulo, la cabeza de la abuela que a cada sí de aquélla, contestaba qué más quisiéramos nosotras, hija mía, qué más quisiéramos...
Fue en ese diálogo de cabezas cuando a mí se me ocurrió decir, abuela, abuela, tenemos las patatas de esta mañana...
—¿Lo ves?
Ese ¿lo ves? fue como si de repente la parienta rica-pobre nos hubiera devorado a los tres, porque nunca en mi vida cayó sobre mí una mirada más terrible, más asesina, que la de mi abuela y la de mi madre, queriendo, las dos, confundirme. Ya no valió de nada seguir discutiendo: la parienta había vencido.
Naturalmente, aquella noche nos tocó no cenar.
Se despidió de la abuela su parienta, quien tornó a cubrirme la cara de lágrimas y de besos húmedos, bendiciendo mi estrella, con razón. Todavía vimos su mano enguantada diciendo adiós... como si se marchara

de esta vida y de la otra. La abuela, desde el balcón, la vio ir, mientras, triste, se quitaba una lágrima del ojo. Se hizo el silencio. Cerró el balcón y se quedó dentro el olor especial de aquella mujer delicada, ahora veía que mendigaba como una mendiga y que las circunstancias, los tiempos que vivimos, quién me lo iba a decir a mí, me obligan a hacer cosas que una nunca ha hecho...

—Si mi padre levantara la cabeza...

Fueron esas palabras, ese gesticular, aquella bolsa pegada y replegada entre sus manos lo que tardaríamos bastante en borrar de la casa.

A mi madre le dio por llorar. Por echarse en una butaca, con los brazos sobre la mesa, y llorar y llorar de forma incontrolada. Parecía lo mismo que un niño. Era un lloro continuo que parecía desovillarse y nacer de las palabras de aquella prima extraña que parecía una muñeca barata, una pepona, una vieja de guiñol. Vi a la abuela compadecerse, levantarse y venir a mi madre, ponerle la mano sobre el hombro y decirle, mujer, cálmate, cálmate, no llores más... Ya verás cómo todo se arregla...

CLARO que el ser humano termina siempre por adaptarse a cualquier tipo de circunstancias, y en esta ocasión no iba a ser diferente. Los días pasaban rápidos, como caen las hojas de los árboles lamidas por el viento. Aumentaban los refugiados y aumentaban, también, los camiones con aquella tropa heterogénea y alegre que saludaba con el puño levantado. Siempre el repetido viaje este-oeste, como si aquellos hombres jóvenes, cargados de fusiles y de mantas, vinieran directamente del sol. La lucha, no cabía duda, con el buen tiempo había recobrado su crudeza, y, ahora, con más empeño que nunca, se retornaba al tema de la guerra y se buscaban en los mapas las flechas envolventes de los cuerpos de ejército y de las columnas que se batían, eso sí, con heroísmo en todos los frentes. Hasta la aviación había aumentado sus ataques, y muchas veces no se contentaba con atacar la vía férrea e impedir, de esta forma, el movimiento de tropas, sino que ametrallaba la carretera, dando pasadas ligerísimas y espeluznantes. Era fácil oír el tableteo de las ametralladoras, esa rociada de balas que brillaban, por el sol, como un telégrafo eléctrico y metálico.

—Abuela, ¿por qué hay guerras?

No creo que, aquella tarde, tuviera muchas ganas la abuela de contestar a mi pregunta. Las guerras existen porque tienen que existir. Todo lo que existe: la iglesia, el cielo, el agua, los pájaros, el viento... todo, hasta la guerra, existe porque tiene que existir.

Pero a mí no me convencía una razón tan simple, tan imperiosa, tan a dedo. Tenía que haber otro motivo y por eso insistía, por eso le repetía la pregunta, por-

que ella, que tenía un hijo en la contienda, tenía que saberlo mejor que yo.

No le gustó que le dijera lo del hijo.

—No lo nombres ahora.

Y lo vi deshacerse de pronto en su labio de cereza, con sabor a ceniza mojada. Ni una palabra, ni un nada en tantos meses.

—A lo mejor está muerto...

Movió sus piernas de alambre metidas en las medias, y las medias en aquellos zapatos de charol, sin brillo, que le colgaban de la mecedora. Lo mismo que una muñequita de trapo, sin forma, caída y doblada allí. Le besé las manos y, ella, mohína, parecía como que quería (sin querer) rehuir mi caricia.

—Dios manda las guerras como castigo.

Dejó salir de sus labios rotos, como si se le cayese de la boca, el clavel reventón. Todo el cuarto, por la luz de colores de la vidriera, se encendió de aquel rosa fuerte, de sangre. Taconeó con aquel bastón macho al que, de repente, parecieron hinchársele las narices.

—Las cosas ocurren porque tienen que ocurrir — repitió, la boca ya desnuda, enseñándome su fila de dientes de la dentadura postiza —. Todas las cosas de esta vida son consecuencia de las otras. El dos viene del uno y el tres del dos y el cuatro del tres... Igual que los números, todo lo demás también está ordenado. Lo que empieza en el uno termina siempre en un número superior, mucho más alto que nosotros...

—No te entiendo una palabra — creo que le dije, de esta o parecida manera.

Era ese juego suyo de siempre. Ese hablar cabalísticamente, como si las palabras corrieran, como pájaros, en medio de los árboles. Calló, como si masculase ella misma lo que acababa de decir y tratara de encontrarle alguna puerta. Porque hay veces en que las palabras que decimos no son nuestras, vienen de pronto a nuestros labios, sin saber siquiera lo que estamos diciendo. Por eso tenía que volverlas a su boca, en una masticación lenta y larga.
Insistí de nuevo:
—Abuela, ¿y tú crees que alguna vez se acabarán las guerras?
Levantó su cara, que parecía retornar de algún lugar lejanísimo. Era un rostro arrasado por los años, sobre todo por estos años tristes de ahora, el que me puso de frente, sin que, en algunos momentos, acertara a reconocerla. ¿Cuántos seres pueden vivir, escondidos, detrás de los ojos y de la cara y de las manos de la gente? Porque hay instantes en los que parece como si no nos conociéramos los unos a los otros...
—Siempre habrá guerra.
... porque seguramente todos, todos los que han muerto, los que ya pasaron por la vida, viven agazapados dentro de nosotros, enterrados en nuestro pensamiento, y por eso nos acordamos y tenemos memoria, incluso de cosas que nunca hemos visto y que, de repente, se vienen a nosotros...
—Habrá guerras mientras haya hombres, porque las guerras existen desde que existen los hombres... Es un misterio... Tiene que haber una razón, un algo, que lo explique todo...
Seguía con sus manos levantadas, uniendo los pulga-

res, tratando de captar esa chispa invisible e insignificante que envuelve los secretos de la vida. ¿Quién podría vivir dentro de aquella carne flaca y vacía, llena de arrugas, de la abuela? ¿Acaso la bisabuela María del Carmen? ¿Acaso sus tres tíos Ginés, Manolo y Luis Alfonso? ¿Acaso su padre y su madre?... Pensaba todo esto sin decirlo, imaginando el peso tan grande de los muertos metidos en el fondo de los vivos...

Algo debió notarme.

—¿Qué pájaros tienes en la cabeza?

¿Y los pájaros, también, vendrán a vivir con los vivos?

—¿Eh? ¿Qué es lo que piensas?

Le intrigaba el que yo no contestara a sus preguntas. Yo sabía que a ella le gustaba oír las cosas que yo pensaba y que se me ocurrían.

—Los niños no mienten nunca — decía.

Y también:

—La verdad sale siempre de la boca de los niños.

Pero yo no podía contar ninguna de las cosas que pensaba, porque nada de aquello se concretaba, sino que eran pedazos de nubes que veía volar y cuyo nombre y cuyo destino desconocía absolutamente. La guerra... Los hombres... El hambre... El frío... El calor... El llanto... La risa... Los árboles... El cielo... El odio... La envidia... ¿Cómo podía meter todo eso en mis manos? Era como si tratara una vez más de coger el océano con un cazo.

—Abuela, ¿qué es pensar?

No creo que se esperara aquella pregunta. Porque la vi confundida, cada vez más aferrada a su bastón,

tratando de enderezar su figura. A mí me parecía que pensar tenía que ser como buscar. Como si uno se metiera dentro de la oscuridad de uno mismo y, en la sombra, a ciegas, tratara de reconocer todos los objetos de que uno está hecho.

—¿Y el alma? ¿Qué es el alma?

—El alma es una luz...

Recuerdo que me dijo, terminando por echar al suelo aquellos dos piececitos suyos, dos monedas en un charol, encogidos y desiguales, que no se decidían, que no se ponían de acuerdo, miraba yo, para dar el primer paso.

—Abuela, ¿qué luz?

—Es una luz que no es una luz como esta que nosotros vemos...

—¿Es que existen otras luces?

—Seguramente... — todavía, mirándome, lamiéndome con su mirada vieja y arrinconada —. Hay luces, una vela o una lámpara, que sirven para que podamos ver los objetos que no vemos. Pero hay otras luces que no están hechas de fuego y, sin embargo, alumbran... ¿Comprendes?

Negué con la cabeza.

—Tú cierras los ojos y hay cosas que no están aquí, que no las puedes tocar y, si quieres, las ves perfectamente.

Cerré los ojos y, de repente, vi a mi padre, de pie, metiéndose todavía la chaqueta, allí, junto a la mesa, mientras la luz de la lámpara le ponía un halo amarillo-viejo sobre la cara. Abrí los ojos y ya no lo vi. Y, sin embargo, la luz de la calle, papel blanco, entraba por el balcón medio abierto. Volví a cerrar los

ojos y, de nuevo, lo vi, acabado de vestir, abrazando a mi madre y a la abuela que, a la vez, también estaban allí, de otra forma, con los ojos abiertos... ¿Dónde estaba la realidad?

—¿Lo has visto?

Me miraba, esperando que yo acabara de realizar aquel descubrimiento. Estaba sorprendido porque, aunque eso yo ya lo sabía, nunca había caído en la cuenta... Entonces, vivimos a la vez dos vidas...

—Puede — fue lo que me dijo —. Puede que vivamos dos vidas. Pero, sea o no sea, en esas dos vidas tú eres el mismo tú: nunca te cambias por nadie.

—¿Y el sueño?

Repiqueteó su bastón, que pareció impacientarse, porque yo ya me sentía disparado y tenía hambre de conocerlo todo, todo, todo...

—Dime, abuela, ¿qué es el sueño? Dime qué es...

—¡Y yo qué sé! ¿Tú crees que yo lo sé todo?

—¿Y no será el alma como un globo?

¿Y si al dormir, que es como una pequeña muerte, el alma se queda flotando, semidesprendida de nosotros y por eso vuela?... ¿Será el sueño la vida de las almas?...

Salió protestando, golpeando el suelo, escorada sobre el bastón, perdida y más perdida, rodeada de aquellas preguntas mías, seguramente absurdas, que se quedaban por el aire. De fuera venía la voz de mi madre dialogando en el pasillo. La abuela, abrumada, se volvió para decirme:

—Anda, vete a jugar a la calle. Aquí nos vamos a volver todos locos...

LA calle acaso fuera lo más fascinante de la guerra. Aquel sol dorado, vivo, que parecía nacer de las copas de los árboles: aquellas nubes largas, como barcos increíbles que se movían con las velas al viento. En medio de todo, del pueblo con su plaza, su pilón, su acacia y la fachada de la iglesia, estaba la gente multitudinaria, inactiva y desharrapada que hablaba constantemente de la guerra, de avances y de retrocesos, de ayudas y de fracasos, de rusos y de italianos, de fachas y de comunistas, sin que, en el fondo, se pusieran de acuerdo en nada. Para los niños la guerra era salir a la carretera. Al este nos encontrábamos siempre con los presos que trabajaban en la calzada, transportando grava y derretiendo bidones de alquitrán en las calderas, bajo la vigilancia de los guardias de asalto. Si era hacia el oeste, el sol de la tarde, amarillo y dulce, pasaba como un ascua entre los troncos plateados, aluminícos, que corrían blanqueados sobre el fondo verde oscuro. En medio, única entidad viva, quedaba el pueblo, con sus paredes de cal, el hambre y la sarna. La guerra, sobre todo, eran los partes militares que, todas las noches, oíamos en la Casa del Pueblo.

Salí disparado hacia la carretera, hacia el lado este. Era verano y el sol picaba sacando nubes de talco sobre las copas de los tilos que empezaban a ponerse sucias, y del cementerio, con su puerta rota y su cruz inválida, que cojeaba como una gallina coja, sobre la tapia. Picaba el sol y se oían los tábanos y el ronroneo de algún corral, o de algún perro, que rompía a ladridos perdidos, a golpe seco, el silencio largo que seguía hasta el hondón de la carretera. Pero no eran

los tábanos, sino el ruido, lento y aburrido, de las camionetas que arrastraban material pesado. Entre ellas recuerdo un camión largo, imponente, de doce ruedas, que transportaba un cañón enorme, con su boca tapada, cuya imagen, grandiosa y terrible, nos llenó de temeroso estupor. Lo vimos desfilar majestuoso, lento, dueño y señor de la vida y de la muerte, y cuyo paso, lo recuerdo bien, seguí con otros niños con auténtica admiración, con la boca abierta, casi sin despegarnos de las ruedas que se deslizaban y se hundían en la calzada polvorienta que aquellos presos cubrían con arena y con betún, bajo un sol implacable. Todavía lo vimos alejarse, rugiendo, cogiendo la pendiente, dejando asomar el tubo largo del cañón que sobresalía sobre las moreras y que marchaba feliz, pensábamos, camino de aquella guerra. La gente, entusiasmada, segura de que, al fin, con aquella poderosa máquina serían vencidos los facciosos, hablaba con fervor del gran Berta, aquel cañón legendario con el que los alemanes habían bombardeado París en la guerra del 14.

En cuanto perdimos de vista el cañón echamos a correr hacia la balsa, junto a los olivos, a un lado de la carretera. El cielo estaba limpio, calentón y dulce. Sólo se veía plateada, ferruginosa, la cumbre de la sierra emergiendo sobre los cerros de color de tierra, pardos y rotos, en los que florecía el vello lejano de los álamos esqueléticos. Se perdían los grajos, negros y blandos, como enormes peces blandos y negros, que caían sobre las cumbres arrastrados por el viento. Todo lo demás permanecía inmóvil. Sólo de tarde en tarde se oía el ronquido largo y molesto de algún

camión que bajaba del llano, entre los pinos, y que siempre se trataba de un vehículo militar.

Naturalmente, yo conocía bien a todos los niños del pueblo, tanto a los indígenas como a los forasteros que, circunstancialmente, a causa de la guerra, ahora vivían entre nosotros. Los acompañaba en muchas de sus correrías por el campo o por el cementerio. También por el río adelante. Un día, con un cencerro colgado del cuello, encontramos al loco del pueblo. ¿Adónde vas, José?, le preguntamos. Y él, sin dejar su camino, sin dejar de hacer sonar su campana, repetía: América, América, América... Y seguía pacífico su caminata, desnudo y con los pies metidos en el agua, anda que te anda, suena que te suena, hasta lejos, lejísimos, hasta que desapareció entre los cañaverales. América, seguía gritando, América, sin desviar la vista, desnudo y blanco, como un trozo de queso que tuviera figura humana. Pero, en esta ocasión, nos dirigimos a la balsa. Era muy poco lo que yo, entonces, sabía nadar. Por eso corría por la orilla, me daba un chapuzón y en seguida me salía y me tumbaba debajo de la higuera, donde los otros niños hacían coro en torno a los más grandullones, acalorados, los ojos brillantes, endulzados y lascivos, con aquel despertar de misterios insondables y pecaminosos, de historias increíbles y atrayentes, pegajosas, que se referían a mujeres de aquel mismo lugar, a muchachas que se acostaban con los soldados. La conversación, agria y dulce, era una baba que iba de una a otra boca, que volvía y que nunca se marchaba, porque a todos les gustaba ese estar y ese gustar y ese contar repetido, machacón,

sabroso y nervioso, ese ir y venir, ir y venir de los pájaros bajo la sombra estéril de la higuera, con los ojos enrojecidos, lo mismo que serpientes que tuvieran la vista clavada en un solo, en un mismo, en un idéntico punto que giraba y giraba sobre el empalago de aquella conversación atrayente... Azul, azulísimo en el cielo, que bajaba de lo más alto y se expandía sobre las copas verdes, plagadas de pájaros, de los álamos, de los olivos, de los castaños grandes y redondos, fieros, que ponían sus patas abiertas en el filo mismo de los montes. Azul, azulísimo hasta el pueblo, cuyas casas salían sobre las moreras, manchadas de blanco, como de cáscara de huevo, con su torre ahumada y su cruz torcida, con una paloma solitaria.

Azul, muy azul el calor que hacía y blanqueaba la carretera y los secanos próximos al pinar, por donde venía repetido el runrún de los camiones, achatados y gruñones, los camiones rusos de la guerra, con soldados iguales, que cantaban y que parecían espigas doradas, con fusiles dorados, diciéndonos adiós y salud, mientras nosotros, desnudos, corríamos por la orilla de la carretera y, con el puño en alto, gritando y riendo, les decíamos salud, salud, salud...

Una tarde, en el placer de aquella tertulia libidinosa, bajo un sol terrible y asfixiante, se presentó de improviso el guarda jurado empuñando una escopeta y haciéndonos disparos de sal al tiempo que nos lanzaba a todo trapo un perro diabólico y maldito que cayó sobre nosotros sin piedad, dispuesto a despedazarnos, rabioso y ladrador, azuzado por su amo, quien, al tiempo, se echaba la escopeta a la cara, bajo el som-

brero, y nos perseguía por los sembrados hasta llevarnos a lo alto de una colina.

—¡Si os veo por aquí os encierrooooooo!…

Gritaba voceando, echándose el arma a la espalda y volviéndose de nuevo.

Pero ésta era la historia de siempre, ya que nosotros volveríamos a bañarnos y él también volvería a perseguirnos y a echarnos aquel perro canalla. Desde lo alto del monte, agotados y sin aliento, éramos lo mismo que un ejército desnudo y vencido.

Así, desinflados, mientras poco a poco nos íbamos vistiendo, contemplábamos en silencio la vega, el río, los álamos y los otros pueblecillos lejanos, manchas de cal que parecían florecer entre los huertos. Las nubes de polvo que subían la carretera, las voces perdidas, los ladridos y los motores nos hacían adivinar el paso de las columnas camino del frente que, aquel día, pasaban de forma interminable…

CUANDO volví a mi casa, la tarde caía ya, azulada y triste, pacífica, enormemente tibia. Todo parecía dormir. Ni siquiera se oía ya el paso de los camiones. Ni los gritos ni los golpes de los presos en la carretera. Se había hecho el silencio total. Ese silencio en el que hasta lo minúsculo adquiere una individualidad definida. Se podía distinguir lo uno de lo otro, excluida toda confusión y toda anarquía. Como si la naturaleza se permitiese el lujo de darnos su eterna lección de sensatez. Corrí hacia mi casa, sudoroso y quemado por el sol, cubierto de polvo, tratando de que mi madre no advirtiera el estado en que llegaba, eludiendo el encuentro con ella, tratando de disimular mi suciedad y aquel fuego que parecía abrasarme la cara y los ojos. Subí la escalera y me encontré con la abuela dormitando en su butaca, a la luz violeta, penumbra, que entraba por el balcón a medio abrir. Todavía se oía el chillar de las golondrinas rasando los árboles y la carretera, diminutos aparatos que jugaran a la guerra.
—¿Eres tú?
Me conoció la abuela, despertando, sacando su cabeza del ovillo de sus manos y como buscándome en medio de la sombra del cuarto. Tuve que decirle que sí, que era yo, y no sé cuántas cosas más, cuando ella, en su soñarrera, se empeñó en que le contase de dónde venía, en dónde había estado, queriendo luego que me colocara delante, a su vista, porque sospechaba no sé qué, algo que le daba en la nariz...
—Tú has estado en la balsa.
Nunca supe cómo pudo oler (porque no pudo ser otra cosa) el que yo había estado bañándome y que

el sol (con su mano blanda sobre mi rostro y sobre mis manos) se había pegado, como una lapa, sobre mi piel abrasadora.
—Te has bañado. Eres un granuja.
Tratando, una vez más, de recorrer mi cabeza y mi cuerpo con su mano medio helada. Yo no sé si, en ese momento, con el olor a tierra y a campo de que venía impregnado, yo no sé si le traje otros recuerdos dormidos y despiertos en su mente: su propio hijo, quien también se escaparía para hacer las mismas cosas que yo estaba haciendo. Por eso quizá ni se enfadó ni me dijo nada, sino que, como un susurro, me dijo al oído que tu madre no se entere, ¿me oyes? Yo asentí sin abrir la boca, porque sabía bien lo que ella quería decirme. Me olió, como se huele un ramo silvestre o el aire cuando viene limpio y templado por la ventana. Ese olor íntimo y fantástico de las cosas corrientes, nacidas de la tierra más tierra. Eso era lo que le gustaba, lo que le hacía retenerme a su lado, lo que la estremecía feliz. Por eso cerraba los ojos y tenía que estar viendo las mismas cosas que yo había estado viendo, porque se sonreía con su boca azucarada y triste.
—Ayer cumpliste tantos años — me dijo —. Ya eres casi un hombre...
Me sentí orgulloso. Sentí sus labios en mi rostro, cálidos y húmedos, seguramente más que tiernos.
—Naciste un sábado, por la mañana. Serían las nueve o las diez. Recuerdo que estaba yo abriendo la ventana que da al huerto, cuando te oí llorar...
¿Fui yo, fue su hijo? Porque, en su rostro, detrás de sus ojos, en sus manos vacías sobre su falda, me pa-

reció ver otro niño, su niño, el más suyo, el que estaba en la guerra. Por eso se ocultó la cara con un gemido. Quise retirarle los dedos, pero no lo consintió, zafándose a mis caricias, disgustada, sin saber el cómo ni el porqué.

Corrí a la ventana atraído por el rumor de la gente. Pero desde allí sólo alcanzaba el patio, el pozo y la parra, con sus hojas verdes llenas de polvo. Hasta la abuela pareció espabilarse, decir ¿qué pasa?, abriendo sus ojos, erguida, tratando de apearse de la butaca. Por eso que, sin atender a sus espera, espera, ¿dónde vas?, abrí la puerta y volé a la calle. Entonces fue cuando vi la enorme columna de soldados, parte a caballo, la mayoría a pie, que, a esa hora, atardeciendo, el sol ya perdido por la sierra, pasaban por la carretera camino del frente. Era el ejército más grande que yo había visto en mi vida. Después de los camiones, le tocaba ahora a las brigadas, levantando una enorme polvareda a causa de los caballos y de los mulos. Hasta que vino la noche estuvieron pasando aquellos miles de hombres, a los que decíamos adiós con el puño. Durante buen rato, hasta que se hizo de noche, asistimos al paso de aquella multitud alucinante. Lejos, sobre la sierra, el cielo se manchó de rojo subido, que se fue dorando hasta convertirse en ceniza.

Luego, el silencio fue como una nube tierna sobre las casas. Se veían algunas luces tristes, de candil, que salían de las puertas. La tierra estaba impregnada del aliento de aquella tropa, de aquel polverío intenso que flotaba y se palpaba con la boca. Todos habían sido testigos de aquella marcha interminable, de aquel

pasar y pasar de hombres armados, de rostros oscuros y tostados por el sol, vestidos de forma desigual, unos con casco, otros con simples gorros de paño con orejeras, otros con sombreros de paja y otros sin nada. Todos aquellos fantasmas se habían borrado ya. Casi quedaba, como un hervidero, un lejanísimo susurro de pasos, allá, perdidos para siempre.

EMPUJÓ la puerta y, desde el balcón, sobre el tejado, vimos pasar, como una exhalación, aquel aparato loco, con la cola de humo, llameante, que fue dejando sobre las casas un brasero de carbones encendidos. Lo vimos caer en el patio, sobre la parra, sobre los rosales y enredaderas del pozo clausurado. Le oímos todavía (no mucho todavía) hasta que una explosión terrible, que hizo temblar la casa, puso punto final a aquel vuelo rasante y catastrófico. La abuela se quedó firme, intentando en vano ese crecimiento necesario e inútil para alcanzar la otra parte del tejado y descubrir qué demonios había ocurrido, qué demonios era aquello, ese ruido infernal y ese correr de la gente, ese miedo, ese griterío, ese nerviosismo que de pronto a todos les había entrado por el cuerpo. Porque mi madre, con la crisis, se había cogido a la puerta sin saber si entrar o salir, porque las piernas se le habían convertido en jalea, en dos trapos sobre los que era imposible sostenerse. Porque yo sentía que el corazón me daba brincos y parecía que, a cada momento, me subía y me bajaba a punto de estrangularme. Porque la misma abuela, descompuesta, movía impasible su barbilla y yo veía su labio rojo (blanco) caído, a punto de rompérsele en el suelo.
Ni siquiera sé cómo la abuela, en un gesto imperioso, recomponiendo su figura, dio un bastonazo en el suelo y se lanzó derecha a la puerta y, apartando a mi madre, tomó el camino del huerto, adonde también se dirigían los refugiados repitiendo: han derribado un aparato fascista. Una nube de humo se aplastaba sobre los olivos, sobre la tierra amarilla, una casita blanca, los castaños, todo oscurecido por

aquella sombra grasienta que asustaba al ganado, cuyos berridos lastimosos oíamos venir desde los sembrados. Un buen rato duró la humareda y las llamaradas que, a cada instante, trataban de prender los olivares. Todo el cielo se tapó en seguida con aquella nube, por la que el sol trataba de volar, redondo y vivo, lo mismo que una peseta de oro purísimo. Eran muchos los que habían visto cómo el aparato, con los motores incendiados, se había lanzado de pico contra la colina y había soltado de repente aquella llamarada, lo mismo que un vómito de sangre. Todo el día estuvo ardiendo el avión, hasta que sólo quedó una vaga humareda que poco a poco se fue disolviendo y acabando, hasta que el aparato quedó convertido en una nada nada. De entre los restos se sacó el cadáver mínimo y carbonizado del piloto.
Era verdad que habían derribado un aparato, era verdad, porque nosotros, desde la tapia, habíamos visto su humo negro, la cinta, la nube gigante que se fue repartiendo como una tormenta sobre los campos secos, segados y amarillos, ralos y turbios, por donde campaba el ganado con sus cuernos y sus temibles berridos lastimeros, remitiendo sus largas y babosas miradas hacia las llamas que rugían como fieras. Lo pensaba la abuela haciendo ir y venir su pequeña cabeza manchada de plata, de vieja revieja, cada vez más vieja como aquella vida vieja que todos llevábamos. Lo veía en el temblor de sus dedos, de sus afilados dedos, casi puro hueso, por donde salían, como agujas, sus pensamientos. Todos teníamos en la cabeza aquel lengüetazo rojo que arreciaba entre los árboles y que poco a poco se consiguió dominar,

hasta que sólo quedó, bajo el reflejo del sol, de la nube de sol, aquella trenza débil que parecía sobrevivir sobre la superficie lisa y plateada del cielo.

Era verdad que habían tirado un avión y allí estaba su estructura achicharrada, convertida en pedazos inútiles, retorciéndose y destruyéndose lentamente. Y, en medio, irreconocible, inexistente, el cuerpo sin cuerpo del piloto que ya no era ningún piloto en aquel aparato que ya no era ningún aparato, sino una simple hoguera...

Naturalmente que aquel triunfo tuvo su celebración en el pueblo. Porque aquélla había sido una victoria real, vista por todos, ya que el aparato ahora yacía sin alas, desperdigado entre los olivos. Y la verdad es que todos teníamos la sensación de que, con el derribo del avión, se habían acabado, para siempre, los bombardeos enemigos. Yo mismo tenía en la cabeza, y no me lo podía quitar, aquel terrible aparato, negro y llameante, pasando sobre los tejados y yendo a estrellarse en el campo. Lo tenía metido en las orejas, aquel zumbido angustioso, que me apretó el corazón y quiso casi matarme. Y pasaba y pasaba y no cesaba de pasar repitiendo de forma interminable aquel vuelo loco y destructivo...

Natural que hubo discursos y que se habló y se cantó la valentía del pueblo y el heroísmo de nuestros soldados que alcanzarían la victoria.

Es verdad que la caída del aparato a todos nos trastornó el juicio. De alguna manera también nosotros pensábamos que la guerra y la victoria final estaban del lado republicano, cuando tan fácilmente podía ser abatido, pisoteado, uno de aquellos poderosos avio-

nes. La verdad, efectivamente, tiene su lado mágico, y esto era lo que a unos les daba entusiasmo y a otros les hacía perder la moral. La abuela, sentada, con el rostro tapado por sus manos vacías, lloró aquella noche por aquel hijo suyo que luchaba en el otro bando y que muy bien, quién sabe, pudiera ser ese soldado convertido en carbón, pura ceniza, que había tenido que ser barrido de entre los restos del aparato.

La noche vino suave. El cielo lucía estrellado y el aire era tibio, casi caliente, oloroso a trigo segado. Todo tan igual y tan desigual como siempre. Nada se oía: todo hundido en el silencio. La abuela abrió el balcón, mientras mi madre avivaba la lámpara de aceite de la mesa. Las cosas parecían otras cosas en aquella penumbra, en ese trance entre lo existente y lo a punto de inexistir.

—Va a llover — le oí decir a la abuela.

Puede que tuviera razón. El verano pasaba rápido. Pasaban los días, pasaban las personas, pasaban los ecos y las palabras que un día y otro se fueron repitiendo: todo pasaba irremisiblemente.

Salí hasta el balcón, queriendo oír la pegada de la lluvia en las hojas tiernas de la parra. No había luz y las ventanas del patio eran de violeta, casi apagadas. Sólo oíamos el rumor neutro de los refugiados. Lo demás había dejado de estar y de parecer, y nada vivía ya: nada, nada...

—Sí — le dije, sin saber siquiera por qué había dicho aquel sí, al que ella no prestó atención, mirando, sin contestar, el pedazo de cielo, con estrellas, que se veía sobre el patio. Y era raro pensar una cosa así

cuando el cielo estaba limpio, de un azul claro, y las estrellas parecían pedazos de cristal brillante, prismas incrustados en el terciopelo azulísimo...

Mi madre se sentó junto a la mesa. Ni advirtió nuestras palabras. Sacó de alguna parte un estuche con fotografías y, en silencio, las fue remirando una a una, a la busca de instantes y tiempos perdidos...

LOS días, de repente, parecieron querer acortarse, ir limitándose poco a poco, dejando vagar por el cielo restos de nubes que parecían trapos puestos a secar. El viento empezó a enfriarse, a ir perdiendo, día a día, aquella tibieza, y el aire tornó de nuevo a aquella transparencia triste, casi lúcida, que parecía traer hasta nosotros las cosas más lejanas. Brillaban más que nunca las casas, los árboles, los objetos que, en cambio, tenían otro matiz, como si, en un momento, se hubieran transformado en algo diferente. Hasta el silencio era más silencio. Hasta la carretera, más carretera. Hasta la nieve, estirada y limpia sobre los montes, parecía más nieve. Pero lo más de ver, la tristeza que parecía desprenderse de la naturaleza y que poco a poco, a la vista de las nubes, nos sobrecogía el corazón y nos quitaba las ganas de hablar. No por eso dejaron de pasar los aparatos, de manera cronométrica, brillando como luciérnagas, a intervalos, saliendo de la pintada de nubes, con sus alas grises, cayendo siempre sobre el mismo lugar, dejando aquel repentino florecer de humos y de fuego, en el ya viejo, inútil y tantas veces reparado ferrocarril, tan terriblemente castigado. Pero, ahora, casi nadie salía a lloriquear a la calle. Se les veía pasar y se esperaba que, en minutos, retornaran a perderse. Era una simple rutina de exterminación y de muerte que sabíamos tendría que repetirse durante el tiempo que durase la guerra. Sería el invierno, cuando las tormentas y la nieve loca que iría cayendo sobre los montes, el que acabaría poniendo un freno a los ataques.

La guerra, ahora, se limitaba a esos *raids* (como de-

cían los más entendidos), a ese frenético ataque aéreo, ya que, desde hacía algún tiempo, el paso de tropas se había hecho escaso y, ante las noticias pesimistas que corrían, se hablaba ya (y se llevó a efecto) de llamar a los reservistas, a hombres que habían olvidado de una vez para siempre todas las prácticas y todas las teorías de la lucha. Era por eso que cundía el desasosiego, porque muchos de aquellos hombres, vecinos nuestros, tendrían que presentarse en el ayuntamiento, y a poco, en aquel otoño helado, turbio y triste, tuvieron que marcharse a la guerra. Yo mismo los vi, lacrimosos, más para consolados que para consolar, despidiéndose de sus mujeres que los gritaban y lloraban ya como a muertos y de sus hijos que no decían nada y que, sin saber, manoseaban las culatas de los fusiles, la manta y la cartuchera que se les había entregado.

La abuela decía:

—De eso se ha librado tu padre.

Y con esta confesión trataba de tranquilizarnos, porque, ¿qué hubiera hecho mi padre, con su mala pata, en una guerra en la que — decía — tan pronto hay que correr para un lado como para el otro?

Ya no se abría el balcón. Sólo veíamos la pared blanqueada de la galería manchada por el sol, sucía, adonde venían los pájaros callejeros y se detenían, los penúltimos, en su emigración a tierras cálidas. Ya habían pasado la mayoría, como otros años, sin importarles nada de nada, parados y encogidos en los hilos del telégrafo y volando, volando, luego sobre los sembrados muertos, grises, nubes bajo las otras nubes, a contranube, hasta que se perdían como

un enjambre de avispas, allá, por el claro de sol. La visión de los pájaros entristecía a la abuela, quien se ponía a pensar en los suyos, aquellos que había liberado hacía tiempo y que, ahora, con este invierno de nieves que se nos echa encima, Dios sabe dónde y cómo vivirán, porque los pájaros — repetía — son como las personas, tienen sus sentimientos y tienen sus tristezas, ¿qué pensáis? Yo la miraba callado, fijo en sus ojos como alfileres, negros, perdidos en las cuevas de sus ojos, debajo de sus cejas, en aquella carátula de comedia. Entonces me parecía que la abuela era sólo aquellos ojos, como dos faros o como dos vuelos extraños o como dos flores recién nacidas, y que todo lo demás de su cuerpo ya no era ella, ni nada, ni ninguna otra cosa...

Mi madre, cada vez más ausente, ni siquiera reparaba en estas cosas. Andaba olvidada de nosotros, siempre buscando en los baúles, a la captura de no sé qué objetos perdidos, y se pasaba las horas ensimismada, sin vernos, sin notarnos, sin darse cuenta de que nosotros dos estábamos presentes. Se sentaba, se hacía la señal de la cruz, volvía y revolvía a santiguarse y se pasaba las horas rezando, moviendo incansable los labios que se le habían convertido en dos pétalos blancos, morados, como si aquel viento frío y lluvioso se los hubiera estado mojando. Permanecía así en un rincón del cuarto, en la sombra, y no cesaba de rezar en un encadenado de palabras rotas que nunca jamás nadie hubiera podido descifrar. Fue a poco, entrado más el invierno, la tierra desolada, la tierra agarrotada y helada, cuando un día nos salió diciendo que acababa de ver y de tocar

con sus manos pecadoras a la propia Virgen María, quien le había dicho: Hija, no te apures, esta guerra está a punto de terminarse y tu marido volverá...
La abuela hubiera querido que mi madre no fuera con aquella historia de la aparición a ninguna parte por temor de que, por haber hablado con la Virgen, no fueran a encarcelarla también a ella. Pero fue imposible impedirle una cosa así, y ella misma fue quien se ocupó de ir con el cuento a unos y a otros, quienes, contrariamente a lo pensado, la miraban con extraño respeto y muchos no dudaron de sus palabras hasta el punto de que los refugiados venían a nuestra casa a darle encargos, para que cuando volviera a encontrarse con la Virgen le preguntara por sus maridos, sus hijos o sus padres, a quienes habían perdido en la carrera. A la vista de aquello, la abuela, viéndola, lloraba también y decía una y otra vez qué triste es la humanidad, qué triste es la humanidad... Muchas veces pienso que ella misma, al final, llegó a dudar de que no fuese verdad aquella historia de la visión, ya que le oí decir que aquella hija suya, mi madre, siempre había sido muy buena hija y buena esposa...
Desde el balcón, cerrado, por encima del tejado, veíamos pasar las nubes densas, con sus alas de algodón y su llovizna fuerte que se estrellaba sobre el viejo tejado cubierto de hierbas. Fue éste, durante muchos meses, la única verdadera visión que yo tuve, sentado junto a la mesa, donde la abuela me obligaba a leer un libro escolar y hacer largos copiados de historietas que venían en él. Pero lo que a mí realmente me gustaba era dibujar, hacer pinturas de pueblos, de apa-

ratos bombardeando y de camiones largos que transportaban soldados y cañones. Me gustaba también pintar iglesias, sin campanas, con su llametada de fuego y su cola de humo que subía hasta el cielo.

Seguía soplando aquel viento helado, manchado con las primeras nieves que pronto coronarían las cumbres, los hocicos de las montañas que, entre las nubes, parecían aullar aquellas noches lejanas, llenas de luz, cuando la luna era una moneda de plata que rodaba sobre la mesa del cielo. Ladraban los perros. Daban gritos las ramas peladas de los árboles. Y hasta las puertas, que ya no existían, golpeaban en medio de aquella quietud. Todo el campo parecía muerto. La tierra aplastada, sucia, amarillenta y parda, cubierta, al amanecer, con aquella corteza dura de resplandor y de escarcha.

Mi madre, acurrucada, pasaba las hojas totalmente ida de nosotros, olvidada incluso de su mismo aseo personal, despeinada, con los ojos arrasados y tristes, musitando de forma irreconocible aquel palique suyo, aquel diálogo interminable y dulce, durante el que ella podía tocar con sus manos, que nos mostraba levantadas y limpias, el manto celeste y purísimo de la Virgen.

La abuela movía su cabeza, y yo sabía o quería entender lo que pensaba sobre aquella hija suya loca, a la que nadie tuvo por loca nunca, sino por cuerda y que, sin embargo, tenía el alma pequeña como la hoja del laurel que, aplastada, podía caber en el hueco de mi mano. Por eso fue ella la que tuvo que hacer frente a las necesidades de la casa, ya que a mi madre habían dejado de importarle aquellas co-

sas, y le hubiera dado lo mismo morirse que no morirse. Por eso se quejaba. Por eso arrastraba, casi cadáver, aquel bastón que cada día le pesaba más y era un lastre, ya que, con los avatares, había perdido su lozanía, y, de seguir, puede que se le convirtiera en un ser horrible e inoperante. No sonaba igual, no era la misma cosa: también él languidecía en aquel otoño borrado, entre paréntesis, que sería el último otoño de la guerra.

—Abuela —le decía yo—, dicen que la guerra se va a terminar.

Volvió la cara y me dijo:

—Eso lo sabrá el doctor Negrín.

Y yo veía su rostro de papel, pintado por las arrugas, por su boca de pastel y sus ojos manchados de negro. Era como una abuela disfrazada, porque su cara, conforme pasaban los días, se le iba volviendo cara de campo, cara de carretera, cara de aquel pueblo...

—¿Tú has visto al doctor Negrín?

—No; pero una vez estuvo en esta casa don Fernando de los Ríos. Estuvo aquí con el abuelo; de eso hace ya mucho tiempo. Tu abuelo, que descanse en paz, era un republicano y un liberal. Para que veas lo que son las cosas.

Se sentó en la butaca, con las manos arrugadas, cogidas y enlazadas sobre el puño del bastón. Yo las veía como dos pájaros viejos, o como dos ranas encogidas, a punto de saltar de inmediato sobre algo. La abuela parecía fabricada con restos de muchas cosas: de animales, de hojas, de cortezas de alcornoque.

—Abuela —le insistía—, ¿y tú has visto muchas guerras?
Miró al techo y vi salir de su boca aquella risa suya, como una baba de risa transparente.
—Y tanto...
Decía que había visto muchas guerras: la de África y la de Cuba. Levantó la mano como un guante viejo, para dejar que saliesen sus dedos. Ahí parecían estar aquellas dos guerras. Señaló para la ventana y yo miré la pared tocada por el sol que, de repente, las nubes ensombrecieron.
—En la guerra de Cuba estuvo el abuelo.
Luego le oí susurrar:
—Somos un pueblo que no entiende la vida sin la muerte. Vivir, por el solo hecho de vivir, para nosotros no tiene sentido...
—Abuela, ¿qué estás diciendo?
Me miró como si despertara.
—¿Yo?
Volvió a levantar la mano, dejando volar aquella palabrería, aquel desgarro que le había salido del corazón.
Cayó la tarde y todo se apagó, se quedó sin fuerzas.
—Abuela, ¿verdad que la casa, con tan poca luz, parece una iglesia?
—Abuela, ¿te acuerdas de aquella noche del 36?
—Abuela, ¿tú crees que la bisabuela María del Carmen se ha enterado de que hay una guerra?...
Fue mi madre la que irrumpió de la sombra dejando la lámpara encendida sobre la mesa. El cuarto se llenó de aquel resplandor triste.

LOS días fueron pasando. Y pasaban lentos, apagados, con nubes enormes que aplastaban un día y otro el enorme paisaje. El invierno había vuelto a matar las cosas. Hasta el color ceniza, de fruta podrida, que empezó a tener el pueblo. Tan pronto llovía como el viento cortaba los troncos con su cuchillo fino y afilado. A un lado y otro, la carretera, cinturón plateado, machacado y desierto. Ahora nadie venía; muchos días ni siquiera los aparatos con su vibración de motores. El cielo se rompía y quedaba sobre las casas aquel destrozo de nubes harapientas que, pronto, volaban sobre las tierras secas y perdidas. Y a aquellas nubes sucedían en seguida otras nubes y otras cada vez más opulentas, más blancas, más oscuras, en un desfile constante y extraño.

—Todas esas nubes van al Ebro.

Oí decir una vez. En mi libro escolar, el Ebro era un río que pasa por Zaragoza. ¿Por qué aquellas nubes irían tan lejos, tan en lo alto, pasando montes y montes y montes?...

Una noche llegó hasta el pueblo Ángel Martínez. Había desertado y había vuelto andando, muerto de frío, con los ojos desorbitados, negándose a volver cuando su padre le dijo tienes que irte, porque si te ven, te fusilan. Y él decía que no le importaba que lo mataran si querían, porque no quería volver a aquello. Que me fusilen, pero yo no vuelvo. Estaba aterrorizado por los muertos que había visto; tantos, que no quería dormir solo ni que le apagaran el candil, porque, en la oscuridad, aquellos muertos se le aparecían. No, no y no, repetía, hasta que su padre, vestido de pana, con el sombrero, le dijo vamos, yo

mismo te llevaré a la brigada: no puedes quedarte aquí. Y lo llevó otra vez al frente.
En el frente andaban, desde hacía meses, tanto el Crisólogo como Juan García, y hasta mis dos tías locas, que se habían ido, vestidas de milicianas, a la primera línea, al calor de sus maridos militares. Por eso el pueblo estaba tan abandonado y tan callado, con las puertas cerradas y aquel llover sobre las paredes que todo lo iba borrando, hasta el extremo de que el pueblo iba pareciendo otro pueblo, la iglesia otra iglesia, el pilón otro pilón y la acacia otra acacia...
Nadie me impedía, ahora, ir donde quería, de una punta a otra punta, hasta el final de las moreras, donde está la curva y se ven ya, lejos, hundidas, las nubes y los blancos que son la ciudad, sobre los montes color del caqui. Hasta allí no había llegado yo nunca. Pero ahora sí, las tardes de sol, corríamos la chiquillería a esperar los camiones de las obras del campo de aviación (que se estaba construyendo) y los chóferes, que vivían en el pueblo, nos dejaban subir trepando sobre las ruedas para caer luego encima de la arena y del cemento. Otras veces teníamos que volver a escape, porque alguien corría la voz de que los fascistas estaban a casi nada y que los moros, si nos encontraban, nos matarían como a perros. El sol, amarillo, temblaba sobre las copas y entre los troncos azulados de los árboles. Hacía frío y la cara se nos ponía blanca y roja, mientras jugábamos a los novios con las niñas, que echaban a correr delante de nosotros, al pilla-pilla, para que las diéramos alcance, las besáramos y las tocáramos.

Pero otros días, ni eso. Caía la nieve y nada parecía existir. La tierra era una pintura blanca. Las nubes, los campos. Entonces íbamos aquí o allá, nos poníamos al fuego y dejábamos pasar las horas y los días, mientras las llamas partían encañonadas y los troncos se rompían como pedazos de metal enrojecido. Entonces lo que preocupaba era la suerte de todos aquellos hombres de los que nada se sabía, que estaban lejos, que a lo peor estaban muertos. Porque ya todos sabíamos que las guerras se hacen siempre a base de muertos, de muchos muertos. Muertos cuyos rostros aterrados había contemplado, tirados en el camino, aquel vecino nuestro, Ángel Martínez, a quien su padre hizo volver a su puesto, a su deber como soldado, a pesar de que prefería mil veces la muerte que contemplar, otra vez, ese vasto campo sembrado de cadáveres hermanos...

Por eso, quizás, había tanto silencio. Por eso permanecía muda aquella puerta oscura y chamuscada de la iglesia. La torre y la ventana redonda, con la cristalera rota. Allí me habían bautizado. Allí se habían casado mis padres. Y la abuela. Y también aquella bisabuela María del Carmen que se había prendado del rey. Todos al nacer y al morir habíamos pasado por allí.

De no haber sido por la muerte de don Liberado, por la muerte del Tristán, por los incendios, por los *raids* aéreos, por los refugiados, por el hambre y por el paso de la tropa, es posible que nunca nosotros nos hubiéramos enterado de que existía en el país una mala guerra. Porque, aparte de esto, era su rumor, la nube que precede o que sigue a la tormenta, lo

único que nos empujaba y llegaba suave hasta nosotros. Y de aquella alegría de los primeros meses habíamos pasado a ese sabor que da la tristeza, a esa hiel, a ese querer llorar y no poder que anuncia toda derrota. Fue por eso que, al igual que los pájaros cuando anuncian el final del verano, muchos de aquellos refugiados empezaron a desaparecer, a ir marchándose del pueblo, a ir dejando entre nosotros un vacío de miseria y podredumbre. Oímos el canto de los gallos, un chicoleo a través de los corrales que en seguida se perdía, como ahogado, en el mar. Era un signo de vida, de que a pesar nada se había perdido, sino que las cosas podían ser como siempre habían sido.

—Abuela, se están yendo los refugiados.

Se notaba por el hedor a madera quemada, a trapos sucios, a basura tirada por los suelos, a porquería de niño y a largas meadas derramadas por los rincones. La abuela levantó la cabeza y se quedó escuchando.

—¿Estás seguro?

Asentí con la cabeza, por no interrumpirla. Vi sus manos cogidas a los brazos del sillón, y eran como dos pájaros, con sus venillas azules, con ese temblor que dan las nubes cuando se mueven sobre las casas. Vi sus dos zapatitos de charol, que le habían durado toda la guerra y que los tenía desde mucho antes de que ésta comenzara. Las hebillas, las medias oscuras, el filo de la saya. Ella sabía más que nadie lo que aquella estampida podía significar y, por eso, se pasó aquel guante de casi sólo piel por sus mejillas y por sus ojos agotados, tratando de secarse el llanto que, desde hacía tiempo, no le salía, no podía salirle de

ninguna manera. Fue un quejido de pájaro enjaulado, de animalillo, de viento que asoma de pronto por debajo de la puerta. Me repitió:

—¿Estás seguro?

No se oía nada.

—Las ratas abandonan el barco.

Fue lo que dijo, apeándose del sillón, cogiéndose firme a su vara, estirándose las arrugas del vestido, subiéndose, sobre la falda, la media floja y arrancándose con ese paso suyo desigual, a dos tiempos, para salir, decidida, a la galería a recorrer la casa, que no recorría desde entonces, cada uno de los cuartos, de donde habían sido desgajadas las puertas y hasta los marcos de las puertas, cuyos humos ennegrecían los techos y las paredes. Ni por asomo, creo, sospechó nunca tanta destrucción, tanta suciedad, tan enorme ruina derramada a lo largo y a lo ancho de la casa. La veía mirarlo todo, con ese gesto de estupor y de amargura que salía de su labio mordido, viendo y no creyendo, pensando por primera vez que, efectivamente, acaso sin haberlo advertido del todo, la guerra sí había pasado por allí, había estado de visita en su misma casa y nos había dejado para siempre su rastro de miserias incontables. Porque, pensaba, acaso lo peor de la guerra no sea la muerte que lleva encadenada, sino el asco, el enorme asco que entraña toda guerra. No supo si llorar si reír, porque, en el fondo, una u otra actitud hubiera dado lo mismo.

—Es horrible.

Y esa palabra fue como la única palabra que ella hubiera aprendido, al cabo. Porque la fue diciendo mientras contemplaba aquel calvario, muchas veces con

la nariz cogida con los dedos, ante el hedor insoportable a mierda de hombre y de animal que salía de las salas que ya no eran salas, de los dormitorios que ya no eran dormitorios, de los pasillos que ya no eran pasillos...

El frío que entraba por las ventanas sin postigos, y por las que se veía el huerto y el campo tapado de escarcha, fue lo que nos hizo regresar de nuevo, volviendo ella a sentarse en su sillón y quedarse las horas inmóvil, lo mismo que muerta, porque el rostro se le cubrió como por una nube.

TODAVÍA vendrían otros días y otros fríos, y la lluvia caería, como airada, sobre el tejado de la casa. La oiríamos romper las últimas hojas secas de la parra. Golpear las paredes ahumadas de la galería, la tapa del pozo, los palomares sin palomas, los árboles desgajados que asolaban el huerto. Porque a la marcha de los refugiados parecía ahora suceder el empuje de cien años, como si los tiempos contenidos se desbordasen sobre nuestra casa. Nos decían que desde el huerto, algunas noches, hasta se veían los relámpagos de la artillería sobre la sierra. Y era verdad. La abuela, mi madre y yo, abrigados, salíamos hasta la tapia y nos quedábamos allí mirando, viendo ese rascar en la montaña que se encendía, se apagaba, se encendía, se apagaba... Y todo el cielo, con sus nubes, se iluminaba, a intervalos, en ráfagas repentinas, para vivir y morir en seguida. Lo que no llegaba era el eco de los cañones. Parecía como si su ruido quedara atrapado entre las nubes. Fue la primera vez, y acaso también la única, que yo vi así, en silencio, mientras caía la llovizna, el retrato verídico y hasta festivo, de la guerra.

Ahora, en aquella vastedad, vuelto el pueblo, parecía, a sus orígenes, lo que a todos nos preocupaba, casi desasosegadamente, era que aquella guerra no se terminara de una vez para siempre y que cada mochuelo (como decía la abuela) volara a su olivo. Por eso se enfadaba, golpeaba con el bastón y daba gritos cuando, como siempre, sin querer saber nada de nada, volvían los bombarderos y pasaban rasando los tejados con su carga de perdición y de muerte. Para ella ya estaban de más aquellas ostentaciones tontas y,

en el fondo, temía que, por cualquier circunstancia, algo malo pudiera ocurrirnos y no viéramos nunca el final de aquella guerra. Ella misma, con una escoba, se puso a limpiar las salas y las alcobas de la casa, en un intento de reparar, a su modo, los destrozos causados. Toda su vida estaba escrita entre aquellas paredes. Nunca había salido de allí. La vida puede ser hermosa sin necesidad de tener que ir a ninguna parte, decía. Aquí hemos vivido siempre, repetía. La veía caminar, mover su cuerpo cubierto de plumas, cogida de la caña de la escoba. Era yo el que, entonces, cogía su bastón y, cojeando, trataba de emularla, siguiéndola por los pasillos, quejándome en un simulacro de años y de angustias. Era un juego ridículo que a ella le fastidiaba.

Algunos días hacía sol. Entonces el cielo se pintaba de azul y veíamos la sierra con sus picos blancos, brillantes por la nieve. Pero el frío era intenso y nadie, nadie, se veía por ningún lado. Como si la tierra se hubiera quedado deshabitada. Sólo las nubes se veían pasar, enormes y largas, manchadas de violeta o de gris, avanzando como palios sobre los chopos y los pinos. Entonces, a la vista de aquello, pensábamos, no sin razón, que la guerra todavía sería larga. Que la guerra era algo que no se terminaría nunca, sino que esto de ahora era sólo una tregua y que a un avance siempre sucede un retroceso. Pero, en realidad, aquella tristeza, aquellos días apagados y mustios, no tenían nada que ver con la guerra, sino que eran los días propios de la estación y, ¿por qué no?, también de nuestro propio estado de ánimo.

Mi madre se paseaba ahora por las galerías como

alma en pena. La veía entrar y salir, bajar al huerto, recoger las hojas del caqui y hablar horas y horas en una jerga interminable. Hasta cantaba muchas veces nanas que había aprendido, seguramente, cuando niña. El pelo se le tornaba gris y su rostro, antes blanco y de color, se le había vuelto pálido, mucho más delgado. Ni siquiera parecía haberse dado cuenta de que todas aquellas personas que habían convivido allí se habían marchado de repente. Ni preguntó por ellas. Era como si nunca hubieran existido, ni vivido, ni estado nunca en la casa. La veíamos aparecer, se sentaba junto a la mesa, sacaba los retratos familiares y se pasaba las horas remirando las viejas fotografías, aquel pasado al que ella había vuelto irremisiblemente. Sólo esporádicamente se daba cuenta de mi presencia y, encarándose, me decía que dónde había estado, sin advertir que yo no me había movido para nada.

Era por entonces cuando, oscurecido, venían algunas viejas amigas de la abuela y se estaban las horas hablando, mientras contemplaban con grima a mi pobre madre, que las ignoraba por completo. Las veía yo vestidas de negro, con sus pañuelos, iluminadas suavemente por el color cobre de la luz, con sus ojos escondidos y aquellas manos de mazorca puestas encima o debajo de la mesa. Hablaban de tiempos diferentes, de ayeres y de antesdeayeres, y también, como no, de aquel hijo (como un rayo de sol, como una espiga) que estaba al otro lado del frente y que vendría a este pueblo (decía María Misericordia con su boca vacía, con su lengua hundida y aquellas manos suyas que parecían la cabeza de una cobra, así,

cada vez que las hacía volar sobre la mesa) para poner cada cosa en su lugar, a Dios donde Dios, a los hombres donde los hombres, y la justicia en todas partes... (Decía y repetía, enlutada y casi neutra, removiendo su cuerpo bajo la saya, oliendo a barro de mujer, a tierra, a medias de felpa recosidas.)
A la abuela la cita del hijo era lo que más le aturdía. Porque durante todo ese tiempo, sin nombrarlo, no se le había caído de la boca. Lo hacía y lo rehacía, y, de noche, en la quietud, lo respiraba y no lo olvidaba ni lo podía olvidar, ¿sabes tú?, ni lo olvidaré nunca..., apretando su puño sobre la mesa, mientras dejaba delante, abiertos, a la vista de todos, aquellos ojos suyos bañados por el sol de la tarde y ese paso de las nubes, como avispas, sobre el campo. Por eso, ahora, con los ojos, con la cabeza, yo veía temblarle el labio de cereza y la barbilla y tenía como un baile de San Vito en las manos, ya que las palabras dichas por María Misericordia le habían como despertado las aguas serenas de su espíritu y ahora no sabía cómo quitarse esa luz, ese amor de mis amores, ese hijo, ese hijo mío...
No había luz por la ventana. Se reflejaba, como en un espejo, la lámpara y todos nosotros en el cristal, como si estuviéramos, a la vez, aquí y allí. Se oía un ladrido, lejos. Pero todo lo demás, sólo aquella desolación, ese volar y revolar de las manos y de las palabras, hablando de lo que pasaba y de lo por pasar, que si los fascistas estaban ganando en todas partes, que si al general Franco se le había aparecido la Virgen del Pilar, que si el general Queipo de Llano había dicho no sé qué por la radio, que si ya eran

muy pocos, poquísimos, los refugiados que todavía no se habían marchado, que si José y Paco García habían desaparecido el mismo día que llegaron al frente... Era un runrún monótono, repetido, que me cerraba los ojos y terminaba por quedarme dormido con la cabeza apoyada en la falda de la abuela. La vida, a pesar de todo, es pequeña pequeña, y todos podíamos caber y cabíamos en aquel pueblo, nuestro pueblo, con su torre, sus tejados y aquella acacia que existía, desde siempre, junto al pilón. Debió ser la lluvia. Por el cristal se vio un trozo de cielo con estrellas finísimas y blancas, lo mismo que copos de nieve. Mi madre, cuando abrí los ojos, tenía la frente pegada al cristal y, con el vaho, había borrado aquella luz triste. El viento gemía otra vez y gemían también los árboles, con sus ramas mordidas por la lluvia. Aquellas mujeres, como pájaros grandes, con sus chales y sus pañuelos, se pusieron de pie, aletearon, cacarearon, estiraron sus piernas delgadas en un baile de sombras y contraluces. Sopló la noche sobre la sala cuando la abuela abrió la puerta a la galería. Pero olía, olía profundamente aquel aire duro, helado, impregnado de un millar de cosas invisibles. Y es que, en el fondo, sólo existe la naturaleza, todo es naturaleza y nada existe aquí, entre nosotros, que no proceda de la naturaleza. Salieron aquellas mujeres, e inmediatamente fueron absorbidas por la sombra. Hasta sus palabras, sin sentido y sin calor, fueron también como fragmentos de aquella sombra larga y tierna que había invadido completamente al pueblo.

TAMBIÉN fue triste aquella Navidad en la que, esta vez, no hubo ni bollito de pan ni la pastilla de chocolate para los niños del pueblo, ya que los tiempos no estaban para regalos, y la tropa, que andaba en el frente, que se moría a chorros en las trincheras, mal comía lentejas y, como mucho, la carne de aquellos mulos viejos y flacos, con las cabezas peladas por las huellas de mil hambres heredadas, que nosotros veíamos conducir al matadero. Se trataba de animales inservibles, cuyos ojos apenados florecían, como hojas tristes, por encima del vallado y hasta se acercaban a nosotros, nos soplaban en la mano y nos mostraban unos dientes grandes, amarillos, anuncio de la muerte capital en cuanto les metieran la puntilla y se derrengasen. Veíamos luego las reatas muertas, desolladas, convertidas en piezas de carne roja, con la que, decían, daban de comer a aquellos soldados que, después de todo, ellos qué sabían o qué les importaba cuando también muchos estaban tan condenados a muerte como éstos. Los veíamos pasar clavando los cascos, malamente herrados, sobre el barro y el hielo de la carretera, dando cojetadas, y nos quedábamos silenciosos, firmes, viéndoles caminar inocentes. La muerte debe ser algo que se lleva en la piel, que nos envuelve y que nos viste y nos desnuda cuando quiere. Y ahora, estoy seguro, muchos sabían que la derrota, que el fin de aquella guerra que había pasado por la tierra y por el aire, significaba, también, la muerte. Por eso había como un chirimiri, una nubecilla invisible que nos calaba y que era simple anuncio del desastre.

—¿Y esas nubes también van al Ebro?

La abuela volvió la mirada, sin entender. Miraba el cielo plano que se barría, de repente, de nubes de papel, casi de papel sucio, que ponían como un remolino sobre la iglesia.

—¿Qué es lo que dices?

Yo me acordaba de lo que oí decir una vez: Que las nubes, volando, volando, iban ahora hasta el Ebro. Fue eso lo que le dije mirándola a los ojos: todas las nubes iban, como grandes aparatos, a llover sobre el Ebro. No sé qué entendería; el caso fue que no dijo nada, sino que las siguió con la vista, arropada, tapándose la boca, hasta verlas con sus alas abiertas perderse por encima de los cerros. ¡Quién sabe hasta dónde podían llegar, empujados, aquellos trozos grandes de bruma, que no se pueden coger con la mano, que se deshacen y que son lo mismo que fantasmas! Porque la verdad, verdad, es que las nubes no son nada de nada...

Tampoco yo hice porque me contestara: quizá porque ya sabía yo que ella no podía darme ninguna respuesta. Ahora ni ella ni nadie podría decirnos si el Ebro era un río como todos los ríos, si pasaba realmente por Zaragoza y si iba a desembocar al mar Mediterráneo. De repente el río se había convertido en algo distinto, en algo que hacía llorar a las mujeres, en papeles de color azul donde, en tiritas blancas pegadas, venía también pegada la muerte. Por eso yo tampoco estaba seguro de que el Ebro fuese un río de los que llevan agua o fuese, más bien, un río de los que dan en el morir. Ni siquiera ahora, cuando han pasado los años, estoy seguro de ello.

La abuela giró sobre el bastón y fue despacio, des-

nivelada, escapada, dando vueltas por el huerto. Era, con todo, el que menos había sufrido. El viejo caqui, los rosales y la tierra húmeda, recubierta por un verde frío, como pelusa, que se afelpaba a los pies.

—Cuando venga mi hijo todo esto cambiará.

No sé si lo dijo o no lo dijo, pero estoy seguro de que lo pensó y de que esa idea la tuvo en la cabeza. Eran muchos los recuerdos que dormían allí, entre los parterres y el invernadero. Los días azules, con pájaros y con juventud, con el agua viva saliendo en el estanque. Ahora todo era un cementerio. Porque un cementerio era sólo esa pátina gris, esa lluvia, ese olor sin olor, ese vacío, esos árboles sin hojas y sin nada que salían de la tierra como clavados en la tierra. Y, más que nada, el frío: el frío tan enorme que se nos mete por dentro y por fuera y parece, a cada instante, querer bandearnos.

Había cambiado mucho, en estos pocos años, aquella abuela mía. Ni su sombra era. Hastiada de tantas cosas como habían pasado. Traspasada y más que herida por el pago de aquellas dos hijas de su sangre que andaban perdidas por ahí. Dolorida por ese olvido de mi madre, quien había preferido morirse viva a quedarse muerta de verdad. Porque eso era realmente lo que había hecho. Y luego estaba la ruina de la casa. Y ese pasar de nubes y de infiernos. Y ese hijo en el que ella tenía cifradas sus esperanzas...

La vi levantar el bastón como si quisiera amenazar el cielo. ¡Qué tontería! Puesta allí, con su rostro viejo, con su mano vieja, con sus piernas viejas, ¿qué cosa podría destruir? Un hombre no es nada y una mujer es menos todavía...

Volvió los ojos:
—¿Qué es lo que piensas?
No quedaba ni una paloma. Era eso también lo que echábamos de menos: que no había quedado ni una paloma para contarlo. Ni una gallina, ni un gallo, en el gallinero. El corral parecía cualquier cosa menos un corral. Empujé la puerta y le dije: abuela, y ella derramó por allí el calor de su mirada. ¡Qué silencio dentro de aquel silencio! Me dijo que cerrara, y fuimos, poco a poco, cerrando puertas, hacia la casa.
Los días caían como las hojas de los árboles. Había un silencio especial, casi distinto al de las otras veces. Las nubes impedían contemplar los relámpagos de la guerra. El cielo aparecía negro, cubierto de trapos negros, lo mismo que una noche cerrada. Y no se veía absolutamente nada.
—Abuela, ¿se habrá terminado la guerra?
Yo la veía pensativa, meciéndose, como si remara en mitad del cuarto. Movió la cabeza para decirme no, que la guerra no se había terminado. ¿Cómo se iba a poder terminar una guerra así?
Por la mañana, sólo aquella negrura, aquella boca de lobo en la que se habían callado o se habían roto los fusiles. Puede que el viento hubiera llevado ahora la guerra a otra parte.
—Entonces, abuela, ¿se habrán muerto todos los soldados?
—¡Qué tontería!
Uno de aquellos días hubo una aurora boreal. El cielo se tintó de rosa y la sangre parecía manar de la montaña. Salimos al huerto y vimos el campo im-

pregnado de aquel polvillo, como si hubieran llovido pétalos de rosa machacada. Mi madre dijo que era la sangre del caqui. Pero la abuela, con la mano en la boca, muy seria, no se atrevió a decir nada. Días después el cielo se limpió de nubes y otra vez comenzó aquel chisquero mortal, aquellos relámpagos mudos que abrían el cielo a cada instante. Era la guerra que se retrataba con *flash*.

Al día siguiente pasaron seis aparatos, pero no bombardearon. Iban altos y se perdieron lejos, por las nubes.

—Van al Ebro.

La abuela me miró sin saber por qué yo decía aquello. Durante varios días se fueron repitiendo aquellos vuelos.

Fue a partir de entonces cuando los acontecimientos comenzaron a precipitarse, cuando de nuevo, sin tener en cuenta los días claros o los días turbios, comenzaron a verse de nuevo camiones de soldados sin soldados que regresaban a todo correr por aquella carretera de los chopos por la que, meses antes, habían marchado. Pasaban encogidos, enfangados, enarbolando, en la prisa, restos de banderas con impactos de bala y de metralla. Fue un desfile al revés, ya que ahora el mundo parecía andar del otro lado y de día y de noche, durante varios días y varias noches, no cesó aquel paso impaciente, aquel tronar de vehículos, aquella lluvia de pasos y de camiones que se perdían hacia la parte de donde salieron, como si el sol los fuera devorando. Ni siquiera se detenían, como antes, de charla con nosotros. Ni nos saludaban cuando los saludábamos. Ni, pienso, nos veían cuando, en

la loca carrera, nos miraban desde el fondo de sus ojos angustiados, cegados por la fiebre. Entonces comprendí que la derrota es la vaina de la victoria. Al final, la columna pasó a la desbandada, como si de repente se hubieran olvidado todos los caminos y fueran sálvese quien pueda en un juego infantil y hasta ridículo. Y es que, en el fondo, todo es un juego, hoy me toca a mí, mañana te toca a ti. Los vimos pasar en un otoño de camisas, de brazos y de fusiles arrojados en la cuneta. Y entraban ganas de llorar, porque nada hay más triste que un hombre que de repente descubre que de nada sirve ni su lucha ni su esfuerzo. Y era ese halo, ese resplandor, esa sombra, lo que los envolvía, hasta lejos, hasta que no quedó ninguno, porque todo fue así de rápido: como un relámpago. Nunca, que yo recuerde, un silencio más hondo. Casi se tocaba con los dedos. Hasta las casas, alineadas, parecían haberse manchado con ese polvo que no era polvo, que era como un humo que tampoco era humo porque, en resumen, era simple desesperación, simple desbandada, simple huir por la carretera...

A la tarde sólo quedó la huella de aquella prisa. Porque, casi queriendo, se veía la nube de polvo cogida de los árboles y esa ausencia de pájaros que no aparecían por ninguna parte. Un gris plateado, una raya alumínica, era la que oscilaba, resplandeciente, sobre los montes. Luego fue como cuando el mar se retira y queda sobre la arena ese lamido limpio de la marea. Hasta se podían recortar los ladridos de los perros. Un pequeño sol alumbró un instante sobre los sembrados y las casas temblaron heladas. ¿Qué era lo

que había pasado? La pregunta pareció salir de todas partes, aun cuando nadie se atreviera a dar una respuesta. Vi a la abuela caminar por la galería y detenerse delante del balcón. Se veía la plaza, el pilón y la acacia, y, también, la puerta oscura, cerrada, de la iglesia.

Cayó la noche y el viento no bajó. Se veían las estrellas, menudas, pedazos de cristal brillando sobre las casas. Todo lo mismo que recién muertos: ni un disparo, ni aquella luz intermitente, a ráfagas, de la montaña. Ni tan siquiera el paso del viento...

LA gente se fue a su casa segura de que aquella noche pasarían las tropas nacionales. Ni se oía el viento. Sólo de vez en cuando, en el silencio, pasaba un auto que, en seguida, se perdía en la negrura de los pinos. Eran los últimos coletazos de aquellos que, hasta el ultísimo momento, no habían podido escapar. El cielo estaba claro, cuajado de estrellas, iluminando las paredes blancas y las copas de los árboles, espadas brillantes y limpias. En la casa, con la luz apagada, sólo el ir y venir del reloj con su voz sonora, tictac, tictac, colgado de la pared. Pero, a pesar de la espera, de los cuchicheos de la calle, de las puertas que se abrían, de las preguntas, ¿se sabe algo?, ¿llegarán esta noche?, nada llegaba, sino que la noche seguía el compás de aquel reloj que yo oía medio dormido en una butaca, vestido, por si había que levantarse corriendo para ver a los soldados... De madrugada, en la quietud, se oyeron los gritos de libres y de viva España de los presos de la carretera, a quienes sus guardias habían abandonado, y, a esa hora, salían gritando de la cárcel y se iban a sus casas. Pero, en seguida, continuó el silencio, la inmensa soledad, la noche dulce y solitaria. Recuerdo que alguien vino, llamó a la abuela y le pidió una lámpara para colgar en la calle, a la entrada del pueblo, por si vienen las tropas. Hubiera sido deshonroso recibirlas a oscuras, sin una luz. Sentí los pasos de la abuela, el eco zalamero de su bastón fascista y las palabras que se decían, como hojas pisadas, cerca de la puerta, donde alguien que no podía ver, anónimo, le contaba que los nacionales estaban al llegar; figúrese usted... La abuela le autorizó a desenroscar la bombilla que col-

gaba de la salita, orgullosa de que fuera su lámpara la que recibiera aquella noche histórica a las tropas libertadoras. La oí lloriquear, pasándose por la cara ese pañuelo de yerbas que yo no veía, pero que sabía que estaba en su mano, como una hoja grande de tela de algún árbol existente y misterioso, al que ella acudía para ocultar sus lágrimas, ya que oía su voz ahogada, oculta, como hablando desde el fondo de un vaso. El hombre trató de tranquilizarla, no se apure, esto ya se ha terminado, viva España, y, otra vez, al oír viva España, se me anudó el corazón y pegué la nariz y los ojos contra el cojín de la butaca para aguantarme el llanto que, sin saber por qué, me saltó como una lluvia grande, desbordada, rota, que se me quedó helado sobre la tela de raso. Todavía, en aquella oscuridad, vinieron de la calle los pasos de aquel hombre alejándose, llevando en sus manos aquella lámpara más maravillosa que la de Aladino, ya que iba a servir para iluminar el paso de la victoria, la entrada de los soldados, los nuestros, como le oí repetir a la abuela, crispando su voz junto al cristal de la ventana que parecía la cara de un charco, reflejando, casi apagada, casi muerta, las ventanas mudas, como nuevas, de la calle...

Sin embargo, a pesar de aquella lucecilla, tierna, colgada de la entrada misma del pueblo, bailando, por el viento, del hilo que la sostenía de pared a pared, en medio de la calle, no llegaron las tropas ni esa noche, ni al otro día, ni al otro, ni al otro... Y no llegaron porque montaron sus cuarteles en la ciudad, en donde izaron sus banderas, y al atardecer, cuando el sol se oculta, tocaban la marcha real con tambores

y trompetas. Luego, como un ramo de laurel con las hojas doradas, un corneta desplegaba la cinta de seda del toque de oración.
Fueron un cura, un guardia civil y un soldado, con su gorro de borla, para nosotros, los símbolos de que, efectivamente, la guerra se había terminado y de que, ahora, el cielo volvía a ser claro y los pájaros, como antes, como siempre, podían volver a poblar la torre, el azul sereno y las jaulas, cómo no, de las pajareras de la abuela. Durante varios días, los que en esos años no se habían visto, se hartaron de pasear por el pueblo llevando la bandera nacional, roja y gualda, cantando los escasos fragmentos que conocían del *Cara al Sol,* levantando el brazo frente a la iglesia, junto al pilón, a la sombra de la acacia, mientras alguien, con su bote de pintura, emparejando la letra, escribía en la pared ESPAÑA UNA, GRANDE Y LIBRE, ARRIBA ESPAÑA y el nombre (tres veces) de FRANCO y de JOSÉ ANTONIO PRIMO DE RIVERA, PRESENTE. Aquella tarde, de forma solemne, se abrió la puerta de la iglesia y un silencio augusto llenó de repente la plaza. Alguien dio un Viva Cristo Rey y luego, reverentes, todos fueron entrando haciendo el signo de la cruz, arrodillándose, inclinando la cabeza, a pesar de que la iglesia estaba desmantelada, arrasada, incendiada, convertida en garaje. Alguien, devotamente, puso una cruz sobre la mesa del altar mayor y, entonces, lo que hasta ayer no era nada, pasó a convertirse en una verdadera iglesia...
Anocheciendo, los faros de un camión entre los árboles, por la carretera, nos anunció que, al fin, ahora

de verdad, llegaban los presos, mi padre y los otros del pueblo, que salían de la cárcel, libertados por los soldados y que, a esa hora, estaban llegando. Cuando se detuvo el camión, entre los gritos y los vivas de los que tanto tiempo aguardaban, vi la cabeza rapada de mi padre, con sus lentes para ver, que parecía perdido en medio de la gente, manoteando para bajarse del camión, dejando colgada, como inerte, aquella pierna que le servía de muy poco, que llevaba a todas partes como un lastre. No sé qué vuelco me dio el corazón cuando vi a mi padre allí, con su jersey de cremallera y un pañuelo al cuello. Parecía otra persona, con más años, tostado por el sol, quien me encontró en seguida entre las manos y los rostros de los demás que le abrazaban, le decían viva España y le llevaban en volandas por la calle. Sentía su mano en mi cabeza, en los hombros, que, en la carrera, perdía y de nuevo volvía a encontrar como una tabla perdida de salvación. Sin verlo, notaba yo la fragilidad de su mano, ahora endeble, de hoja seca, temerosa, que se me aferraba a la ropa para no perderse. En la misma puerta de la casa, con las manos juntas, vi cómo mi madre miraba la calle y, con su gesto iluminado y triste, ahora feliz, salía hasta él y se abrazaba a su cuerpo, a todo su cuerpo, con un lloro de pájaro sin alas, como si, con las manos, intentara recomponer su figura. Eso era el aspeo de sus brazos, como si, más que vivo, mi padre estuviera muerto y ella lo estuviera rehaciendo, recordándolo con las manos, diciendo Fernando, Fernando, Fernando, con la cabeza en su pecho. La gente aplaudía y no se hubiera ido nunca, si mi padre no hubiera

empujado la puerta y con su cara helada, dolorida, no nos hubiera metido para dentro y todo el mundo, de golpe, se hubiera quedado en la calle.
Era de noche por la ventana. Una luz tenue, de pábilo de vela, alumbraba las paredes de las casas y se veían, de plata, las copas de los árboles del huerto. La abuela, con las manos juntas, trocitos de hueso engarzados, tan finas, estaba pendiente de las pocas, poquísimas, palabras que decía mi padre, quieto en una silla, todavía con aquella cazadora horrible, con sus alpargatas, con ese pelado infame, con las gafas que, de tiempo en tiempo, se quitaba e intentaba limpiar con el pañuelo, como si la oscuridad de sus ojos estuviera en los cristales. No se parecía nada a aquel otro que, aquella noche, de pie, intentaba meterse la chaqueta delante de los dos guardias de asalto que se lo llevaron. Parecía, en su delgadez, que además de los kilos hubiera perdido los años. Y tal vez las ganas de vivir. Tenía un codo apoyado en la mesa y sólo en algunos momentos se despertaba contando de corrido algo que se refería a la libertad, a cómo habían hecho ondear, antes que nadie, antes de que en la ciudad se supiera que la guerra había terminado, una bandera roja y gualda hecha allí, en la cárcel, y escondida para ese día grande. Y eso fue lo que anunció a todos que la guerra se había terminado, la bandera, desde tempranísimo, clavada en el tejado de la prisión...
Por la ventana, a veces, la luna alumbraba y dejaba el paisaje todo como de papel satinado, de un claro dulce, sin daño, adormecido. No se oía nada: todo deliciosamente tranquilo. Sólo venía esa agua ru-

morosa de la voz de mi padre, que se cortaba y luego rompía otra vez, como si el viento la pusiera en marcha. Yo miraba todo desde el sofá, tumbado, cada vez más caído, más perdido, llevado por el sueño. Pero no quería dejar de ver lo que pasaba y abría los ojos para recorrer el cuarto, a mi madre, al lado de mi padre, que lo miraba atenta y que, sin hablar, le acariciaba la cabeza, le decía Fernando o se echaba a llorar, como una niña, dejando que sus lágrimas, chinitas de cristal, le rodaran de la nariz a las manos. Más y más caía la noche y caían, también, los blancos mate de las casas, hechas de papel, calladas, entre azules y oscuros, y el cielo añil-negro que volaba hacia la sierra y allí se perdía por completo.

Oí a la abuela que me decía:

—Anda, vete a la cama.

Y vi su rostro repitiéndome ese anda, vete, acuéstate, es muy tarde, porque me había quedado dormido y, al abrir los ojos, era ella sola la que quedaba allí, cogida a su bastón, mirándome desde el hondón de su mirada, dejando su mano de hoja seca, marchita y blanda, sobre mi frente. Mi padre se había acostado y ella, sola, se había quedado en su butaquita, como yo la dejé todavía, baboseando el rosario que tenía entre los dedos. No sé qué le dije a la abuela, qué palabras salieron de mi boca, lo que apenas recuerdo es cómo salí de la sala y me fui, despacio, diciendo buenas noches, a la cama, sin pensar en otra cosa que no fuera en ese retrato de mi padre, sentado, con la pierna estirada, que yo sabía le pesaba de forma horrible, cada vez que abría la boca y decía alguna de aquellas cosas que contaba.

DESDE los álamos, entre nubes de trapo que parecían colgar de las ramas, vimos llegar la caravana de coches por la carretera. El despliegue de soldados, con capote, con fusiles a la bayoneta, que precedían y que seguían a la comitiva en campaña y que, al llegar al pueblo, trataron de impedir que nadie alcanzara el coche del general, un coche negro, con los faros plateados y el estribo, que bajó cuando, sin parar el motor, ordenó que se detuviera y él mismo abrió la puerta para recibir el saludo de la gente que, en la plaza, retenida por la tropa, le aplaudían y se empujaban para verlo. Y fue el general quien mandó que dejaran a aquellos campesinos: mujeres, ancianos y niños, que se acercaran al auto y, sin apearse, hundido en su asiento, con su ayudante al lado, les dio la mano, sonriente, a los que pudieron darle la mano. Por un momento pude ver a don Gonzalo, como una estampa vieja, con su bigote y sus ojos como chispas, diciendo palabras que yo no escuchaba y que debían referirse a la liberación y a España, porque muchos de aquellos que le daban la mano se volvían llorando, emocionados, y gritaban viva España y viva el general. Salió un instante el sol, que brilló blanco sobre las casas y luego se ocultó y se quedó parado, tapado de nubes, casi amenazando lluvia. Yo sólo alcanzaba ya el caqui, los correajes y las botas de los motoristas, acelerando, impacientes por seguir el viaje o temerosos de que al general, que parecía tranquilo, fuera a pasarle algo allí, en un pueblo como el nuestro, hasta hacía unos días en poder de la República. Alguien, con su pelo negro y su mirada extraña, gritó viva Cristo Rey, y aquel grito rebotó, junto al pilón y la acacia, como un

aldabonazo frente a la iglesia. Dos o tres voces le contestaron y, en seguida, oí el chasquido de la puerta al cerrarse y vi cómo el general, por la ventanilla, sacaba la mano y saludaba llevándose, sonriente, los dedos a la visera.

Eché a correr hacia mi casa, gritando, desde la puerta, mamá, mamá, y abuela, abuela, he visto al general Queipo de Llano, el de radio Sevilla, que acababa de pasar por el pueblo y que eso había sido el jaleo de coches por la carretera. Vino mi padre, y a todos tuve que repetir, enardecido, la historia de la llegada del general, su cara pálida, su bigote y aquellos ojos, como granizos, metidos en su cara. Todavía, creo, se oía el ronquido de las motocicletas que, pronto, acabaron entre los pinos, remontando la llanura. Vi a la abuela, nerviosa, girar sobre sus zapatos, apretar el puño del bastón y venir despacio hacia el balcón y tratar de ver, entre las nubes, cada vez más grandes, el horizonte de árboles, al otro lado, donde las casas se suben las unas sobre las otras, con sus tejados y sus balconcillos de madera, para caer sobre los olivos. Pero sólo se veía la pared de acero de las nubes errantes que subían hacia los montes. Luego dijo:

—Repíteme otra vez lo del general.

Y, sin parar, tuve que recomponer de nuevo el rostro, la guerrera y hasta las botas, mirando, curioso, por la puerta abierta del coche. Le tuve que decir en qué lugar exacto se había detenido, allí, en la plaza, junto al viejo pilón, para que ella se hiciera a la idea. No se le quitaba la emoción. Anduvo trémula y hasta me regañó por no haberla llamado. Le temblaban las manos cuando me dijo:

—Ahora mi hijo no tardará en venir.
Porque, desde que acabó la guerra, ésta era la conversación de cada momento, el regreso de su hijo, que se había jugado la vida luchando como un hombre y que ahora tenía que volver a su casa, a esta casa, que está pidiendo a gritos que alguien la ponga en pie. Veía el rostro enfurruñado de la abuela, quien parecía discutir consigo misma, dejando sus manos cerradas sobre la mesa.
—Anda — repetía —, cuéntame otra vez lo del general. Dime cómo era, qué dijo y si es verdad que le gusta el vino.
Por el cristal el cielo se tapó de sombras. Parecía que iba a anochecer y yo decía, ¿es por la mañana o es por la tarde?, porque me parecía que la noche iba a venir en seguida. Fue entonces cuando empezó a llover. A llover intensamente. A llover de forma desesperada. De forma increíble, mientras oía la melopea de la abuela repitiéndole a mi madre aquella historia del general, de los motoristas y de las conversaciones nocturnas de la radio que ellas jamás habían escuchado. Todavía la oí preguntar, retestinada, haciéndose embudo en la oreja, si era verdad que al general le tiraba el tinto y que incluso eruptaba por el receptor… por el receptor… por el receptor…

ALGUIEN se encaramó en la torre, y, como pudo, del mismo sitio y lugar donde, antes, colgaba la campana de verdad (la que dinamitaron y arrancaron de cuajo, como una muela picada y lanzaron dando volteretas a la calle, para hacer, decían, cañones para luchar contra los facciosos), colgó una vieja llanta de camión, cuyo repique estridente, machacón y borracho era como la voz de un ahogado que se hundía y sacaba su brazo de hierro sobre la tapa del agua que, a cada momento, lo sorbía y se lo llevaba a los profundos. Hasta la abuela, arrastrando la saya, gesticulando, sosteniéndose de forma increíble sobre aquellas piernas suyas de alambre, enfundadas en unas medias de lana negras, vino pasito a pasito y se puso la mano de la ira en los ojos para quitarse el sol y ver qué demonios y qué coña se traían en la torre, con ese dentería insoportable, que no era cosa de cerrar la boca y quedarse atragantada. Tanto, que me dijo vete corriendo a la iglesia y dile al cura que pare esa campana...

Y yo fui corriendo, y mientras corría me acordaba de cuando, en tiempos de bandidos, hacía años y años, porque me lo había contado la abuela, de las dos cuerdas de la campana colgaron al cura y al alcalde y todo el día estuvo el esquilón toca que toca con el desnivel de los cuerpos balanceándose. Por eso corría, porque conociendo el carácter de la abuela, de haber tenido más brios, seguro le habría echado la cuerda al campanero y lo habría ahorcado, porque eso es lo que está haciendo falta, repetía con la pataleta, dando puñados al aire y diciendo que todos éramos unos inútiles, unos gallinas y unos perendengues, que no sabíamos más que lloriquear y mirar la luna de Valen-

cia (que no sé qué luna sería ésa). Me encontré con el cura, alto, delgado, con la sotana manchada de cal, asomando por debajo las botas de montar, ya que, hasta hacía nada, había estado de páter en el frente y no había perdido ese aire militar, repicando el suelo con los tacones. Lástima, porque, al pronto, yo pensaba que me iba a dar con don Liberado, bajito y gordo, con la sonrisa de papa que tenía, tan despistado y tan buena persona.

—¿Qué quieres, muchacho?

Me quedé con la boca abierta ya que, ¿qué le decía yo al señor páter? Sin embargo, le solté el recado de la abuela, que la campana ni era campana ni cosa que lo pareciera y que a la abuela le partía el alma y que hasta le iban a estallar los oídos, que se los había tenido que rellenar de algodón. Pero el cura tenía prisa. Dijo ¡baja! al campanero, haciendo bocina con las manos y, entonces, como por ensalmo, el mundo recobró su sentido, y un silencio dulce de pan con miel se extendió por la tierra y pareció de repente que cada cosa era cada cosa. Daba gusto mirar el cielo, sin esa marejada de nubes y sin el plaf, plaf, plaf del llanterío. Vi cómo el cura cogía la estola, la besaba, se la ponía en el cuello y echó a correr calle arriba, y yo lo seguí con el sacristán, quien se quitaba el polvo a manotazos diciendo, Dios cómo está la torre; y llegamos a la casa del Malagueño, una casa vieja, con su tejado y su ventana sin cristal, a la intemperie, por donde vi (y el día iba de eso) cómo el Malagueño se había colgado de una viga, con los calzones sujetos con una cuerda, las manos a medio cerrar, lo mismo que dos manojos de cebolletas, y la cara ladeada y violeta, co-

mo si más que una persona (le persona que yo había visto igual que las otras personas) fuera un muñeco de cartón o de trapo, relleno de paja, como si la paja le saliera por los dedos y por las puntas de los pies y hasta por la burla trágica de la boca, deshecha y vacía. Ni esperé a ver al cura derribar la puerta de una patada, ni al sacristán, que temblaba ante la perspectiva de verle la mueca al muerto y no sólo verle la cara, sino tener que aguantarlo cuando el cura, que no tenía miedo, dijera que le echara una mano para poder descolgarlo y ver si le quedaba un hilo de vida, que no le quedaba. Eché a correr como si aquel demonio del ahorcado, con la lengua fuera, estuviera a punto de cogerme por las piernas y tirarme al suelo. Era ésta la segunda vez que yo estaba a un palmo de un muerto. Llegué a mi casa y me quedé parado, sin saber qué responder cuando la abuela me espetó ¿qué te pasa?, ni que hubieras visto al diablo. Y no me atreví a decirle que sí, que lo había visto y, entonces, sin saber por qué, me eché a llorar con la corajina, enfadado, diciendo que lloraba porque quería, ¿me entiendes?, y porque me daba la gana y porque las lágrimas eran mías y nada más que mías. Y más me enfadé cuando vi a la abuela contándole a mi padre lo que yo había dicho y cómo lo había dicho, y mi padre, claro, también se echó a reír, dejando a la vista una muela que le dolía y que, con la risa, le hacía poner cara de muerto. Luego se enterarían de la causa de mi susto y de cómo aquel hombre solitario, por miedo a los fascistas, se había echado una cuerda al cuello y se había colgado de una viga.

—Le pesaba demasiado la conciencia.

Fue lo que le oí murmurar a la abuela, mirando la calle con un gesto extraño. Pero a mí no se me borraba aquella caricatura de hombre, aquella figura horrible, que ni parecía esto ni aquello, porque los muertos sólo se parecen a los muertos, y aquél, a mi ver, como el Tristán, estaba mucho más muerto que los otros. Después vimos pasar al cura a zancada limpia, dejando clavadas en el suelo las huellas de sus pisadas, aquellas botas con las que había correteado la guerra. La abuela lo vio desde el balcón y hasta me preguntó, tanteándome con la mano, ¿ése es el cura?, porque no le entraba que el cura anduviera como un salvaje dando botazas, y, quién sabe, decía, si no llevará un revólver debajo de la sotana.

—No iré a misa mientras no tengamos un cura como Dios manda.

Se enfadó dando golpes con el bastón sobre las losetas, que repicaba como un recluta. Porque ella se acordaba con grima de aquel don Liberado, con su mirada plácida, sus pasitos cortos (como tiene que ser) y con su campana, ay, que parecía una criatura de Dios, un don del cielo...

Desde la ventana, con el sol, el día se estiraba sobre las casas y parecía más azul, más vivo, aun cuando la muerte de aquel hombre parecía gravitar sobre todos, ya que todos sabíamos cómo había muerto; cómo el cura, con el juez de paz y con el alcalde, lo habían metido en aquel carro y al trote lo habían llevado las mulas, con su arriero, por la carretera hasta el cementerio, panteón, camposanto, con sus cruces de palo, sus lápidas y aquellos mojones y ladrillos clavados en la tierra que, muchas veces, parecían las cabezas so-

brenadantes de los muertos que se angustiaban queriendo quitarse la ola de tierra que los llevaba y que les impedía, seguramente, el volver, volver a la vida. Ése tenía que ser el sufrimiento mayor de los muertos. A mí no me gustaba ni me gusta pasar por allí. Cuando lo hacía, cuando miraba la puerta entreabierta, echaba a correr dejando atrás el palmoteo de los álamos que, con el viento, la emprendían a bofetadas.

Todo el día y toda la noche y durante mucho tiempo tuve metido en la cabeza aquel espantapájaros colgado de la viga, que parecía un muñeco de saco, con su cara amarilla y las manos largas, largas, que le salían por la bocamanga. Siempre me he preguntado por ese afán de los muertos por cogerse a los vivos, por perseguirlos, por acosarlos, por meterles los dedos del miedo por los ojos del alma.

—Abuela, los que se ahorcan, ¿dónde van? ¿Al cielo o al infierno?

—¡Al infierno!

La voz de la abuela era tajante. Sonó a guillotina, cortando en seco las palabras. Casi se las vio decapitadas, sangrantes, rodando por el entarimado del patíbulo, como se veían en los grabados franceses de la Revolución. Todavía, moviendo el cascabel de sus manos, buscando en la oscuridad de su tacto algo que no alcanzaba, le oí repetir lo del infierno. ¿Dónde, coña, van a ir los malos?

Yo me tenía que imaginar ese lugar de perdición cargado de humos y de pestes horribles, donde los condenados, como figuras infrahumanas, tenían que tener tres cabezas o seis piernas, garrapateando como ara-

ñas, escupiendo paja por la boca, por los ojos, por las orejas, por la bocamanga de los brazos y de las piernas y chillando como hienas en medio de un hormiguero gigante, donde los diablos se divertían aplastando a los condenados locos que pretendían sacar la cabeza para encontrar una brizna de aire o contemplar, por alguna parte, la aurora celeste, el otro lado del abismo, donde viven tranquilamente y tan panchos los buenos.

—¿Y la bisabuela María del Carmen? — se me ocurrió preguntar, temiendo que aquella antepasada nuestra, con su cara de marfil, tan bella, tan delicada, pudiera estar ahora ardiendo en los profundos.

—La bisabuela estaba loca.

—¿Y los locos no van al infierno?

Oí de nuevo el cascabeleo nervioso de sus manos, buscando el puño del bastón. No le gustaba el tema de la muerte que yo había elegido, y no sabía cómo escabullirse, cómo escapar de mis preguntas.

—Los locos están locos.

—Abuela, ¿por qué don Quijote estaba loco?

Casi no lo resistió:

—¡Por decir siempre la verdad!

Últimamente tenía el convencimiento de que yo me inventaba las cosas que decía. Por eso me clavó las uñas de sus ojos, encarada, esperando que yo, como un gallito, le saliera con un picotazo. Pero era mucho lo que me interesaba ese misterio de los buenos y de los malos, de los que se mueren porque quieren y ese destino fatal del infierno para los malos. Yo no podía creer que la bisabuela, con aquella finura, con ese morirse por simple amor, pudiera estar ahora e-ter-na-

men-te cociéndose en un lago de azufre repleto de sapos. Me daba frío sólo pensarlo y por eso no presté atención a esa mirada de la abuela que seguía fija, inquisitiva, la cara medio manchada por la luz que entraba de plano por el balcón. La oí enderezarse en la butaca y echar un pie tanteando el suelo. Le fallaban más y más aquellas piernas de zancuda, de ave sin alas, que caminaba paso a paso, encogiendo, al andar, una de aquellas piernas raquíticas embutida, como una morcilla, en su media. Le oí cogerse al bastón y volver la cabeza antes de volver a mirarme con sus ojos silvestres, de hojas de abeto bañadas por el arrebol. Vino, por el balcón, la voz de mi madre en el huerto cantando un romance viejo, una de esas historias que van rodando por los ríos de la boca y que ella, al cantarla, le ponía no sé qué sentimiento. Me asomé para verla y la vi, con los brazos desnudos, sin perder ese iris del sol sobre una mesa que, poco a poco, se consume. Me quedé como tonto escuchando la voz de mi madre, que me pareció, en ese momento, la madre más bella del mundo, con esa tristeza que le salía de la voz, hablando como hablaba de aquellos amores tristes, porque se amaron los que tanto se amaron y no los dejaron quererse... Mientras la oía, la tarde se fue haciendo de lino, con esa blancura que salía del alma pura de las cosas, y el aire, azulado, con vetas verdes, pasaba rayando las copas de los pinos. Entraban ganas de llorar. Vi cómo mi madre se callaba y se quedaba sin hacer, con la vista perdida, muy perdida. Luego, con las manos húmedas, cortó una rosa de sangre y se la puso en el pelo.

CLARO que a quien nosotros esperábamos de verdad era al tío Miguel, que ya no era sólo el tío Miguel, sino el tío héroe Miguel, cuya imagen se me aparecía brillante con su uniforme militar, su casco de acero y su espada de arcángel. Era una figura reluciente, nimbada por un sol de oro. El tío Miguel había ganado la guerra. Para mí, él era el todo de aquella victoria, de aquellos años largos y duros en los que tantos habían perecido. No quería pensar en aquellos que habían pasado deshechos por la carretera y se habían perdido para siempre. Una mancha de sangre y de lodo los había cubierto. Era mejor olvidarlos. Era mejor cerrar la ventana y que las sombras olvidaran a las sombras.

Sabíamos que el tío Miguel se había batido en el Ebro (entre Illetas y Miravet), cuyas nubes yo había visto pasar tantas veces por el cielo. Sabíamos que su regreso no se retrasaría mucho. Lo sabía la abuela, quien todos los días abría las ventanas para que el sol y el viento airearan su cuarto y la casa oliera a campo llovido. Hasta llegó a poner un retrato suyo, grande, encima de la cómoda.

—Algo me dice que está a punto de venir.

Le oí decir una mañana abanicándose con aquel abanico de varetas con pinturas de toreros. Mientras se hacía aire, mientras se balanceaba en la butaca, sacaba de su boca toda la seda de su hijo, cuya imagen volvía a cada momento, lo mismo que un relámpago. La veía meterse las manos en los bolsillos de la bata, buscándose las cartas arrugadas que había recibido y que se ponía ante los ojos que, de repente, se le convertían en dos chispazos de luz entristecida.

—Me lo dice el corazón.
Repetía, mientras abría y cerraba, como en un rito, aquel abanico viejo, brillante, de pinturas llamativas, con el que se tapaba la cara. Más que sentada en la butaca parecía estar en una barrera, un día de sol, uno de esos días de arena y de sangre. Yo veía su mano que manoseaba, que se convertía en cinco gusanos blancos aplastando el papel manuscrito con la letra de aquel hombre, mi tío, su hijo, que había ganado la guerra. La miraba en silencio, sin hablar, con la imaginación vuelta a los campos de trigo, bajo el cielo azul, allá, Ebro adelante, donde el tío había estado luchando.
Sin embargo, los días pasaban como el viento. Desde la ventana, con el silencio, con esa nada de nada que sigue siempre a una guerra, veíamos cómo las nubes sobrevolaban los álamos, los olivos, los castaños, allí, en el mismo lugar donde fue abatido el avión fascista que se estrelló, se incendió y se quedó convertido en un montón como de trapos negros, de ceniza y de hierros retorcidos y viejos. Todavía, colgado de la ventana, tenía en la mente la imagen de aquel avión, lo mismo que la imagen de un pájaro tierno, sin alas, con el pico abierto y estrellado. Casi resultaba imposible, mirando hacia esa parte, la tarde pálida y triste, no tener delante ese fantasma de horror en donde, sabíamos, había perecido carbonizado un hombre como tú y como yo. Pero ya se sabe que nunca se debe hablar de esas cosas. Lo pasado, pasado. La guerra es la guerra y son muchos los que mueren irremisiblemente para que otros (y se señalaba ella y me señalaba a mí) podamos seguir viviendo.

—Eso ocurre — añadía — incluso en el reino animal.
Yo la miraba sin saber qué decir.
—¿Y eso ocurre siempre? — terminaba por preguntarle.
—Siempre.
Repetía, dejando el abanico y dejando vagar su mirada por las sombras de la tarde que danzaban por la ventana. Las nubes flotaban y desaparecían como pedazos de tela gris.
Pero, como digo, ella ahora sólo vivía pendiente de la vuelta de ese hijo suyo, lo que más quería en ese momento: la razón de su vida. En cuanto oíamos un motor, unos pasos o una llamada extraña, se ponía inquieta, golpeaba el suelo y decía, irritada, ¿es que no va a ir nadie a ver quién es?...
Luego no era nadie. O no era quien ella y nosotros esperábamos. Los días, sentados allí, parecían ir olvidándose paulatinamente de nosotros. Parecían marcharse, también, como vencidos. Hasta el pueblo parecía helado. Sólo venía de vez en cuando el chirrido de aquella campana, que no era campana, que se perdía en el viento con su voz ahogada y sin dulzura. La abuela, abatida, el abanico sobre la falda, sacaba el rosario de uno de sus bolsillos y, mirando la torre por el balcón entreabierto, se ponía a rezar, a dialogar con Dios y con la Virgen, mientras se santiguaba y besaba con devoción la crucecita y la medalla del rosario. Yo, mirándola a escondidas, sabía perfectamente que por quien rezaba, sobre todo, era por su hijo, por su Miguel, ¿dónde estaría? ¿Por qué tardaba tanto en volver? ¿Por qué carretera polvorienta caminaría?... Me quedaba casi dormido oyendo ese bis-

biseo de sus labios, esa lluvia serena y tranquila de su boca, mientras la tarde se hacía tierna, de pan húmedo y blando. Era mi madre la que nos sacaba de aquel ensimismamiento, cuando la veíamos aparecer de repente, sin saber de dónde salía, lo mismo que una aparición y, sin hablar, encendía la lamparita que había sobre la mesa y se retiraba por el pasillo, débilmente iluminado, hablando de forma interminable con los fantasmas de aquellos refugiados que habían estado viviendo allí y a los que ella, con su imaginación descompuesta, había vuelto a encontrar. La veíamos quedarse en el umbral de los cuartos, la lamparita en la mano, mirándolo todo sorprendida, mientras decía: María, María, ¿estás ahí? Nadie le contestaba, naturalmente. La casa estaba vacía. Mucho más vacía con aquella destrucción y aquella ruina.

La veíamos volver, dejar la lámpara y sentarse junto a la mesa, pensativa. La abuela me hacía un gesto con la mano, diciéndome déjala, ya se le pasará lo que sea. Yo me quedaba alelado, sin acabar de comprender ese oscuro misterio del alma.

Mi padre solía llegar siempre sobre esa hora. Le oíamos abrir la puerta y luego subir poco a poco la escalera, hasta que aparecía delante. Era el momento en el que la casa parecía animarse algo. La abuela guardaba el rosario y se preparaba, ávida, para oír las cosas que mi padre le contaba. Cosas del negocio, de la guerra que había terminado, de las personas que volvían.

Por la ventana, como digo, se veía la luz del cielo, que se apagaba, que se iba gastando, como si al cielo se le fuera terminando la vida.

RECIBIMOS un telegrama en el que se nos decía que el tío Miguel llegaría al pueblo a tal hora de aquel mismo día. Era un telegrama extraño, que mi padre se limitó a leer y a meterse en seguida en el bolsillo.

—Vuelve Miguel — le oí repetir a mi madre, con una sonrisa dulce, mientras se miraba en el espejo. Hasta parecía guapa echándose el pelo para atrás y poniéndose polvos en las mejillas —. Vuelve — repetía, como si se lo estuviese contando a sí misma, mirándose, sin acabar de reconocerse en aquella doble del espejo —. Miguel...

La contemplé hasta que oí el bastón de la abuela por el pasillo, que venía protestando con su taconeo seco, nervioso, diciendo a cada momento, ¿dónde te has metido? Fue ese ¿dónde te has metido?, lo que rompió el encanto de la visión y lo que deshizo la imagen de mi madre cuando se volvió y se quedó mirándome sin decirme nada, sin saber por qué estaba yo allí, parado, sin quitarle los ojos.

Aquella noche, fue verdad, vino el tío Miguel. Anochecido, mi padre me llamó y me dijo: Ven conmigo, vamos a por tu tío. Nos fuimos a la carretera, y, al rato, los faros de un coche nos tragaron al detenerse delante de la casa. A través de la ventanilla se veía al tío, con su gorro de oficial, vestido de uniforme. Pero aquél no era el tío Miguel que saltó la tapia para irse a la guerra, aquél (cuando lo sacaron del coche) no era sino la mitad, ya que le faltaban las dos piernas. Mientras mi padre le decía: ¿qué pasa, Miguel?, y le abrazaba, yo miraba espantado aquellos pantalones vacíos que colgaban de su cuerpo y que el viento movía y arrastraba a su antojo como un es-

pantapájaros. Fue quizá la mayor tristeza de mi vida, porque, en mi mente, no entendía el gozo de la victoria con la desgracia de aquella mutilación. Al besarlo, sólo recuerdo la dureza de su barba sobre mi rostro infantil. Luego los gritos y los lloros de mi madre y de la abuela, como si nos hubieran traído un muerto. Y es posible que fuera eso lo que realmente nos trajeron a casa aquella noche...

Durante muchos días, durante el tiempo que vivió, sólo recuerdo su rostro helado, de papel, como pintado con lápices azules y verdes, en donde florecían, como margaritas, sus ojos de miel y de fuego. Yo me decía: son los mismos ojos de la abuela. Lo veía irritarse, intentar lo imposible cogiéndose a los barrotes de la cama, al tiempo que decía: inútil, inútil, INÚTIL... Y su voz era como un grito desnudo, desorientado, rebotando por la casa. La abuela, con su bastón, sin valor y sin coraje, venía despacio hasta su alcoba, se ponía al pie de la cama y se quedaba mirando en silencio a su hijo, al que, estoy seguro, veía ahora como un bebé dentro de su cuna, ea, ea, ojalá fuera un niñito de teta, ojalá estuviera recién nacido, al que ella podría coger en sus brazos, mecer y tener así, pegado, como un capullo fresco, junto a su corazón... ¡Qué cosa más triste es la guerra! ¡Qué flor más amarga!

Yo mismo venía hasta la abuela, le acercaba una butaca y le decía, abuela, siéntate, y ella se sentaba sin verme, dejándose caer, quedándose así, con sus manos cruzadas sobre el puño del bastón, pensando,

pienso yo, ¿qué guerra es ésa que hemos ganado nosotros?...

Me levantaba, abría el balcón a la calle, mientras oía el jaleo del tío, mientras veía el rostro aquel, el de un cristo, tapado con sus manos, anulado, sin querer que nadie le viera aquellos ojos vivos en los que afloraba su ansia de vivir, su lucha y su fracaso. Abría el balcón y me quedaba mirando la carretera vacía, plateada por el sol que apenas si ya existía, y las moreras, con sus hojas oscuras, inmóviles y extrañas. Ni parecía que hubiera habido guerra nunca. Ni parecía que existiera nadie. Ni siquiera nosotros...

Más tarde veía cómo la luz entraba como un cuchillo por el postigo. Veía su rostro, su barba afilada y aquellos ojos que se esforzaban por no sucumbir. Le veía contestar, sin palabras, las preguntas que la abuela le hacía con la mirada. Así se pasaron muchas horas de aquellas tardes, el uno frente al otro, sin hablar, sin cesar de hablar, acaso culpándose (¿de qué?) mutuamente, hasta que, al fin, cada vez más vencida, más doblada, veía salir a la abuela arrastrando los pies, arrastrando el bastón, perdiéndose por los pasillos.

Mi madre, como siempre, encendía la lamparita, le sonreía a su hermano, le ponía la mano en la cabeza y le decía, Miguel, Miguel... sin dejar de acariciarlo.

Muchas veces lo levantaban entre todos, lo sentaban en una butaca y lo ponían junto al balcón para que pudiera ver el patio. Yo lo veía fumar, quedarse mirando el pozo, cuyas historias mágicas, como a mí, le contaría la abuela... Lo miraba a hurtadillas, con no sé qué temor a sus gritos. Como si, en cualquier momento, pudiera bajarse del sillón y, sin piernas, hu-

biera podido perseguirme por la casa. A veces, no sé cómo, me encontraba con su mirada y, entonces, bajaba yo los ojos, asustado. Hablaba muy poco con él. Sí, recuerdo un día en el que estando los dos solos, yo sentado en el suelo junto a él, de pronto sentí su mano, como la de mi madre, que se posó en mi cabeza mientras con la otra se ocultaba el rostro y sollozaba. Eso, como digo, sólo pasó una vez. Después, cuando me veía entrar en su cuarto, me decía vete y me echaba a la calle amenazándome con la mano.

La verdad es que ya no caminaría nunca jamás en la vida. La verdad es que era como un muñeco de trapo al que se le movían las manos y los ojos. La verdad, verdad, es que era lo mismo que un bebé mayor, con barba, al que le gustaba fumar y beber... Fumar y beber...

LA abuela volvía a su sillón. La veía ahora cada vez más escondida debajo de su toca, cada vez más debajo de sus manos, el rostro oculto, dejando sólo asomar su mano débil, su mano fina de marfil, como un guante vacío sobre el puño del bastón. La veía callada, muda y hasta sorda cuando del cuarto del tío Miguel salían sus insultos disparados con metralleta. Nada podía ya afectarle. Todo le daba lo mismo. Sólo veía su mano viva que se endurecía, que se agarraba como una tenaza, como la garra de un ave carnicera, al puño del bastón, y que luego se aflojaba y se quedaba perdida, solitaria y a su suerte, como si, en aquel silencio, aquella mano desvalida se le fuera suicidando.

A veces venían de la ciudad amigos y compañeros de armas del tío. Se sentaban en torno a la cama, contaban historias que sólo a ellos concernían, se reían a carcajadas, cantaban canciones de la guerra, y esta emoción le hacía regresar a los campos de batalla. Pero en cuanto aquéllos se marchaban, le veíamos pegar el rostro a la almohada y aguantar allí el llanto y la rabia que ya para nunca podría quitarse.

La abuela se levantaba del sillón, venía lenta hasta su cuarto y le decía:

—Hijo...

Y su consuelo quedaba reducido a ese hijo, como una luz que se encendía y se apagaba en medio del cuarto. Los días pasaban azules y grises. Se decía que la sierra estaba infestada de muchos de aquellos combatientes que no habían querido rendirse a las tropas de Franco. Por eso algunas noches se oían disparos lejanos, bombazos, ladridos de perros, que el silencio tapaba en seguida. Nunca se lograba saber nada de nada:

ni quién pegaba los tiros, ni quiénes eran los que corrían, ni quiénes azuzaban los perros, ni quiénes gritaban al alba. Era mejor dejar las cosas como estaban. Aquella, ahora, era una guerra mucho más cruel que la pasada: era una guerra de sombras y de signos en la que la muerte se había convertido en un vacío interminable. Desde los asesinados anónimamente delante de sus casas «por fascistas», a los que sucumbían en una lucha sin piedad y sin esperanza. Una vez, con otros niños, vi cómo descargaban de un camión, en la puerta del cementerio, una brazada de cadáveres semidesnudos, sangrientos y rígidos, como si aquellos hombres andrajosos y horribles estuvieran tallados en madera de pino. Nunca jamás se me quitaría de la cabeza aquella estampa, ese enfrentamiento violento y cruel con la muerte.

Pero, a pesar, la vida seguía su camino. A la luz sucedía la sombra. Veíamos las nubes, trémulas, pasar sobre las casas del pueblo y perderse, como grandes hojas de humo, sobre las colinas color azul triste. Parecía casi imposible que a los días largos de la guerra hubieran sucedido ahora los días veloces y minúsculos de la paz.

Mi madre se asomaba a la ventana y se quedaba silenciosa contemplando cómo las estrellas se iban clavando en el papel del cielo. Se pasaba las horas muda, con aquella palidez de la tarde reflejada en su rostro, a veces anciano, a veces fresco como una rosa. Parecía milagro ese estar de su figura, de sus ojos azules, de su nariz y de su boca.

Mi padre subía dando cojetadas, empujaba la puerta y se iba derecho al cuarto del tío.

—¿Quieres alguna cosa? — le decía.

El tío movía la cabeza y no contestaba. Otras, se pasaban las horas hablando y fumando, hablando y fumando. Yo me acercaba a la abuela y le decía:

—Abuela, ¿de qué hablan?

Ella levantaba la cabeza y parecía poner atención.

—Hablarán de cosas de hombres — decía, encogiéndose de hombros.

Yo me preguntaba qué cosas serían esas tan importantes cuando tenían que decirse con la puerta cerrada, mientras llenaban de humo la habitación y apenas si se les escuchaba. Y cuando yo le insistía a la abuela qué cosas de hombres eran esas cosas, golpeaba el suelo con el bastón y decía, ¿qué cosas quieres que sean? ¡Cosas! Y aquella palabra seguía sola multiplicándose por el cuarto, enganchada a su bastón, como si le costase trabajo deshacerse de ella e hiciera lo imposible por arrancársela...

ES muy difícil penetrar en el fondo de las razones del alma. Nadie puede decir esto o aquello, ni salvar ni condenar, a priori, a ninguno. La vida, se diga lo que se quiera, es siempre un misterio, un camino arduo que el hombre ha de recorrer inevitablemente. Y el hombre es sólo una pieza en un engranaje complicado, perfectamente ordenado y compuesto, que forzosamente ha de cumplir el destino para el que ha sido creado. Todo marcha, desde que nace hasta que muere, hacia una meta previamente señalada. Yo me pensaba estas cosas sentado delante de la ventana, viendo cómo el sol iluminaba las copas blancas de los eucaliptos, con sus ramas lloronas, junto al camino. Me pensaba todo esto cuando oía la voz del tío Miguel que sonaba cada vez más perdida, como si, poco a poco, fuera como el agua que va cayendo en un cántaro. La oía monótona y pesada, con su ronquido hueco de voz gastada, de voz que empezaba a desbordarse, a convertirse en puro líquido, en pura confusión de pasados y de presentes. Y no era suficiente que los amigos vinieran a la casa en visitas cada vez más espaciadas y menos concurridas, para que nada fuera capaz de detener esa fuga de su alma que yo, sentado allí, en silencio, oía como un chorro suave que caía lento sobre la taza de una fuente. Y yo me decía: Esa lluvia, que no es lluvia, debe ser el ruido que hace la muerte cuando se acerca o la vida cuando se marcha. Volví la cabeza y, por la puerta entreabierta, vi al tío tendido en la cama, con su bigote caído, los ojos cerrados, cada vez más de papel, más de sombra, varado en aquella cama, arrojado a esa orilla anchurosa de sus sábanas de holanda.

Los días pasaban azules, repetidos, calcados los unos de los otros, con esa mecánica de las cosas que se hacen de forma cotidiana. La casa se iba llenando de silencio porque todos, convencionalmente, estábamos de acuerdo en no hacer ruido, en cerrar despacio y con cuidado las puertas, en hablar bajo, como hojas que el viento suave arranca dulce de los árboles, en andar casi como hormigas... Y yo pensaba: Este silencio, este empezar a no estar ninguno, estando todos, es ya como la víspera de lo inevitable.
La abuela abría el balcón y se quedaba mirando las nubes que pasaban.
—Va a llover — repetía. O pensaba. O yo lo leía en su rostro, en aquel gesto de tristeza que le cubría la frente. Las nubes eran densas, de otoño, y el viento soplaba sobre la torre de la iglesia, sobre los olivos y más allá, sobre las cumbres oscuras, arropadas por el oleaje de un mar azul que no era mar, sino las nubes de la borrasca que venía...
Cerraba el balcón y se quedaba allí como un paraguas cerrado, la tela acrisolada por el sol, con las varetas rotas, medio sueltas, apoyada la cabeza sobre el cristal empañado. Ya no era un pájaro, ahora era un simple objeto, algo que se coloca aquí o allá y que se olvida. Sin embargo, debajo de aquellas alas plegadas de la tela seguía latiendo como una mariposa, como una llamita de mechero, aquella abuela buena de entonces como si, de repente, se hubiera convertido en un insecto, en una florecilla tierna, escondida, enjaulada debajo de sus ropas de mujer triste y avejentada. Hubiera sido inútil que yo, en aquellas circunstancias, le hubiera hecho también preguntas inútiles. Me limi-

taba a deambular por la casa, a salir a la calle, a caminar por el campo y a volver de nuevo a la casa, en ese círculo constante de los días que empezaban a ser ya siempre iguales, ondas de una onda anterior, cada vez más amplias, más sin energía, más carentes de profundidad. Y el caso es que me daba cuenta de que los demás, aferrados a sus cosas, apenas si tenían tiempo de darse cuenta de aquel sin estar de mi vida. Parecía que había dejado de existir para ellos. Que mi presencia no tenía ya ningún significado. Todo era vacío, decepción constante y unos deseos infinitos de dejar que las cosas siguieran su curso por su cuenta. Como si después de aquella guerra, después de haber puesto todos tanto y tanto, ahora, una vez terminada, a nadie ya le importara esa tarea común de hacer bien las cosas. Daba la impresión de que sólo la guerra, la pura guerra, el ganarla o el perderla, el ser yo más que el otro, era lo que realmente les había obsesionado.

—Abuela, ¿qué es lo que buscan los unos y qué es lo que buscan los otros con la guerra?

—Y eso ¿quién lo sabe?

Una tarde le oí a mi padre decir que el tío Miguel estaba muy mal y que por eso estaba allí el médico, quien se encerró con él en su cuarto y al rato salió con un gesto grave, signo visible de que su estado no era bueno. Hacía días que se negaba a tomar alimentos, que se quejaba de las piernas y que, incluso, olvidando que no las tenía, había intentado, en varias ocasiones, levantarse de la cama. Por eso lo habíamos

encontrado en el suelo, intentando incorporarse con las manos. Era tremendo contemplar aquella especie de animal extraño que levantaba la cabeza y que se arrastraba como si tuviera las piernas enterradas en el suelo. La abuela, con los ojos clavados en el médico, dijo es mejor que se muera antes de que yo me muera.

Ni siquiera ahora estoy seguro de que ella dijese esas palabras tan horribles. Sabía hasta qué punto deshacía su corazón. El médico movió la cabeza entendiendo, diciendo lleva usted razón: hay momentos en los que es preferible estar muerto... La vida no está hecha para los débiles... Para los que son incapaces de valérselas por sí mismos... Todas esas palabras se quedaron flotando en la casa, en los rincones, en las sillas, encima de la mesa o de la cómoda, como si cada una de ellas tuviera vida propia. Luego le vi coger el sombrero y salir acompañado de mi padre, quien continuaba aquella conversación sorda, ese siseo convencional y enfermizo de la mente. Por la puerta entreabierta, la lámpara sobre la mesa, yo veía el brazo del tío que a veces se movía como señal inequívoca de que su vida seguía.

Y es verdad que siguió, aunque no por mucho tiempo. Estaba claro que el ovillo de su vida comenzó a soltarse aquel día en que una granada le arrancó las piernas, entre Illetas y Miravet. Sólo él podría saber hasta qué punto su alma se asomó a ese abismo insondable de la muerte. Estaba allí, en su boca y en sus ojos, ese resplandor de los fondos enigmáticos, ese sello o esa marca que lo hacían caminar hacia la meta irreversible.

Y un día, cuando la lluvia azotaba los árboles del huerto y las puertas de la torre se abrían y se cerraban sin piedad, dando golpes horribles, su alma, al fin, cansada, harta de arrastrarse, llegó al umbral de la muerte, y allí se quedó con las manos abiertas, tendido en la cama, con una lágrima de sangre en la mejilla y en los ojos abiertos.
La abuela, que parecía aguardar atónita ese adiós con la boca apretada, sin soltar una lágrima, le puso la mano sobre el rostro y, con suavidad, como si lo invitara al sueño, le cerró los ojos, y luego, serenamente, le cubrió la cara con la sábana. Fue así como acabó en nuestra casa aquella página gloriosa de la guerra. Se le enterró vestido de militar en aquel cementerio humilde del pueblo, su pueblo, donde, bajo una losa y una cruz, reposaban, desde siempre, los restos de nuestra familia. Alguna vez pasé por allí y me quedaba mirando la tumba bajo la que, sabía, ahora yacía él. Era imposible creer que todo lo pasado, que todo lo sufrido, que todas sus ansias de vivir habían sido una simple quimera. No es justo que el hombre viva y sufra para nada. No es justo que el hombre llore por nada. No es justo que uno muera para nada. No es justo que haya injusticias y que unos rían y otros no tengan casa, ni pan, ni esperanza... ¿Qué Dios de la nada puede haber inventado tal cúmulo de maldades? ¿Cómo puede quedar todo, en un segundo, reducido a ceniza, a menos que ceniza, a un soplo estéril y olvidado?... Si el hombre no tiene más destino que éste, ¡qué desgracia ser hombre! Por eso, pensando yo en la vida y en la muerte, pensando yo en lo útil y en lo inútil, pensando en esta y en la otra vida, me

echaba a llorar, seguro de que nada de aquello podía ser verdad y que Dios, el cielo, el alma, la resurrección y la libertad tenían que ser...

—Dios existe...

—El cielo existe...

—El tío Miguel ahora tiene piernas y puede andar de pie, mejor que nosotros, en la otra vida...

Mi padre me decía:

—¿Qué es lo que estás diciendo?

Me sentía como cogido en una pillería y no sabía qué contestar.

—En cuanto venga el maestro irás a la escuela...

Y como no replicara, insistía: Así que ya lo sabes...

Lo miraba absorto, seguro de que, efectivamente, iría a la escuela en cuanto viniese el maestro, que también había ido a la guerra.

Todavía me miró mi padre, y su mirada me turbó, sin saber por qué, sin atreverme a levantar los ojos del suelo...

A mí me parecía que la abuela, ahora, se disponía a recobrar los años perdidos de su vida. Sentada en su butaca, con las manos escondidas en aquel manguito de zorro, se ponía a hablar de nuevo, casi de forma interminable, de los tiempos lejanos de su vida, de cuando ella era joven y las cosas eran diferentes. Porque la vida, levantando su dedo mínimo como la patita de un pájaro, nunca ha sido como ahora. Entonces había otra alegría. Había buena fe, se pensaba de otra manera y las personas, sin necesidad de tantas monsergas, se querían y se ayudaban más que ahora... Ya lo creo que sí...

Yo iba siguiendo ese ritmo de sus palabras, esa música que le salía de los labios y que era como una mermelada pegajosa que ella tratara de quitarse, a cada momento, con los dedos. La veía joven sin que dejara de estar vieja, con su sombrilla al hombro, como las mujeres de los almanaques, sonriendo, caminando bajo los árboles, con su vestido largo y su sombrero ancho...

Seguía su voz cascada que me pinchaba en los oídos, que me hacía cosquillas, mientras yo seguía viéndola caminar erguida, lo mismo que una mariposa azul, con sus alas extendidas.

Toda su vida la fue sacando de su pecho, desdoblándola, con ese olor a manzana y a espliego con que ella envolvía la ropa y luego la tendía sobre la cama, pálida y dulce, con ese aroma y ese tacto de los años verdaderamente felices. Yo sólo veía sus manos que, a veces, se salían del manguito y se ponían a conversar, uniendo y separando los dedos, elevándose y volviendo a reposar sobre su falda, sobre su vestido ne-

gro, negrísimo, bajo el que ella escondía todas las cosas perdidas de su vida.

¿Por qué el luto es negro? ¿Qué significa ese color?, me iba preguntando mientras seguía oyendo su melopea interminable, ese monólogo suyo, ese contarse a sí misma las cosas que ya no eran cosas, sino recuerdos de cosas que ya no existían, porque uno se va muriendo poco a poco todos los días.

—Pero queda el recuerdo. Pero queda lo que se guarda aquí — me pareció oírle decir señalándose la sien y abriendo enormemente sus ojos, en los que vi escondidos los rostros de aquellas personas que habían pasado por su vida, incluso por su vientre, incluso por su sangre y que, ahora, de alguna manera, seguían con ella, estaban dentro de ella, aun cuando estuvieran de otra manera.

Ni siquiera advirtió que la tarde caía y que la luz se hacía pura ceniza sobre los tejados. Las nubes, tapizadas de azul, se habían vuelto doradas y luego sangre, y más luego, como una raya de topacio y de negro. Mil veces había pasado lo mismo en aquella casa. Todo marcha y todo regresa, y una tarde así, ella u otra, también la había visto mirando desde el balcón, mientras se oía el ladrido de un perro y la campana, no se sabía porqué, parecía romperse de pronto y golpear la negrura, que venía.

—Abuela —le decía—. Abuela —para que ella cortara la conversación y me escuchara—. Abuela, ¿enciendo la luz?

Era entonces cuando ella se detenía y se me quedaba mirando, sin comprender.

—¿Dónde están los demás? —me preguntaba.

Fue a partir de ese día cuando empecé a darme cuenta de que los tiempos empezaban a trastocarse en su memoria y de que los muertos podían estar vivos en su cabeza, como si nada de lo pasado hubiera pasado realmente alguna vez.

Di la luz y vi su figura, ella misma, cogida al bastón, que ya ni parecía tal, compañero fiel entre sus manos, confidente y amigo, apoyo de su vejez y refugio de sus tristezas.

Le dije:

—Abuela, dicen que Dios no existe.

La vi ponerse la mano en la oreja, como si no hubiera escuchado bien.

—¿Qué es lo que has dicho?

—Que dicen que Dios ya no existe...

—No digas estupideces.

—Lo he oído en la plaza.

—Tonterías y más que tonterías. Eso no se le ocurre más que a un ignorante. Lo que pasa es que a algunos le gustaría que Dios no existiera, para ellos quedarse más tranquilos. Pero ya les llegará su hora.

Levantó su mano, levantó el bastón para rubricar lo que había dicho.

—Algún día alguien ordenará este rompecabezas y entonces se verá el lugar que ocupa cada cosa.

—Abuela, ¿te acuerdas de cuando yo era pequeño, pequeño?

Sonreía y se me quedaba mirando.

—Ya lo creo que me acuerdo. Parecías un pajarito. — Y se echaba a reír hasta darle la tos —. Eso era lo que parecías. Te estoy viendo desnudo, como un ternerillo, encogido y sonrosado, llorando sobre una ban-

deja de plata. Pensar que ese pedazo de carne eras tú y era la vida... Yo decía, ¿qué vendrá dentro de ese cuerpo? ¿Qué nos mandará Dios dentro de ese niño?... Eso mismo pensaría la Virgen...
Era el momento en que ella, tapándose la cara con las manos, encogida, recogida sobre su butaca, cerca de la mesa camilla, tornaba a su pasado, a su mundo oculto, escondido debajo de su cada vez más reducida persona.
Yo le decía:
—Abuela, ¿cómo puedes acordarte de tantas cosas?
—Porque las cosas que se recuerdan no tienen cuerpo, sólo son alma, y no necesitan ya ni tiempo ni espacio. Cada uno de nosotros somos nuestros propios recuerdos, las cosas que guardamos en el corazón. Por eso el corazón es lo más noble que tenemos. Tener mal corazón es simplemente no tener recuerdos. Quien no recuerda nada es que nunca amó a nadie.
La noche cayó definitivamente por la ventana, y la luz y los muebles quedaron reflejados en la hoja de cristal del balcón. Me levanté y cerré con cuidado.

UNA noche, a la luz de la lámpara, le oí a mi padre contarle a la abuela que Pedro Crisólogo y Juan García, el Miliciano, habían sido fusilados por los nacionales. La noticia, no sé cómo, había llegado al pueblo y en todas partes se comentaba. Cogidos prisioneros y sometidos a Consejo de Guerra habían sido ejecutados, como tantos, un amanecer, y sus cuerpos exangües se desbaratarían ante el fogonazo de los fusiles. Al menos así era como yo me imaginaba a aquellos dos hombres que se habían casado por lo civil con mis tías Santo y Peregrina y que ahora yacían bajo tierra, volcados y abrazados a la tierra, con la boca mellada y torcida, babeando, como perros, su propia sangre. Cerraba los ojos y los veía a los dos manoteando en el aire, defendiéndose inútilmente de la cerrajería, del apunten y del ¡fuego!, que, en un momento, se convertía en descarga y en chorro iluminado, lo mismo que un chorro de estrellas que, rápido, desaparecía y se hacía nada, convirtiendo en nada aquellas dos sombras enajenadas que caían como si, al tiempo, alguien les tirara por los pies y ellos se estrellaran sin remedio sobre la tierra dura e inhóspita. No sé por qué se me venía una y otra vez esa alucinación a la cabeza. Acaso desde que oí a mi padre, los ojos iluminados, excitado, hasta feliz, contarle a la abuela aquellas dos muertes, ese final para aquellos dos hombres tan nefastos para nuestra casa, que se habían llevado las dos prendas de los ojos de la abuela, como la vi quejarse, apenas sin arrestos ya, con su voz de papel fino, como papel de fumar, mientras movía la cabeza y se pasaba la mano blanda, la mano de mantequilla, por los ojos, tratando de borrar-

se la lágrima que no le había salido. Hablaba, pero era como si no dijese ninguna cosa, ya que las palabras, ahora, en su boca, ya no eran palabras, sino pura queja, pura agua estancada, donde apenas si podía mirarse la luz. Mis hijas, mis dos niñas de mis ojos..., seguía repitiendo, seguía balanceando la cabeza, marcando, una y otra vez, con ese ritmo, ese alarido de sus dos hijas locas perdidas... Hijas de mis entrañas... Hijas de mi corazón... Hijas mías... Hijitas mías... Yo veía la nariz, la boca, los ojos de mi padre como dos carbones encendidos que chisporrotearan, que echaran lucecitas rojas conforme le hablaba a la abuela y le repetía, con cúmulo de detalles, el dónde, el cuándo y el cómo de la prisión de esos dos sujetos, de esos dos incendiarios, quienes habían caído como conejos y ahora, ya ve usted..., ya ve usted..., ya ve usted..., como un cencerro que una vaca llevara de acá para allá, sonando ya ve usted..., mientras la abuela asentía, bajaba la cabeza y hundía su barbilla de piel de higo contra los nudos de sus dedos de palo santo... Ya ve usted...
Y lo curioso, mientras yo dormitaba de cara a la ventana y me convertía en un gato enroscado, en el suelo, a los pies de la abuela, lo curioso es que yo no sentí ninguna alegría viendo morir y morir, morir cien veces y hasta mil veces, a aquellos dos hombres que se habían casado con mis dos tías, que echaban discursos en la plaza y que siempre estaban hablando de la igualdad, de la libertad y de la fraternidad. Los veía ahora mentalmente y yo me decía, ¿cómo puedo verlos si ya no viven? Y es que uno puede matar a una persona, la puede machacar y hasta convertir en

polvo, pero no puede de verdad matarla del todo todo, porque, para eso, tendría que borrarla de todas las personas del mundo y, entonces, tendría que matar a todo el mundo...

Los días empezaron a caer como las hojas de los árboles. Como si todo el campo se fuera vistiendo de un sol viejo que el viento hacía correr y que la tormenta, luego, pertinaz, sumía en el desamparo. Entonces aquella desidia, aquella hojarasca, se convertía en silencio y en nostalgia. El frío salía, como un lobo, de las cumbres y destruía esa pequeña luz vegetal de los árboles, y las nubes pasaban blandas y grandes, sábanas de ceniza, cubriendo el pueblo de un humo espeso y hasta húmedo, que se deshacía con el sol.

Mi padre se levantó y vino despacio a cerrar el postigo. Un claro recién pintado desapareció. Yo seguía oyendo, un día y otro, esa respiración lenta de la abuela, esa tos que no era tos, ese goteo de sus labios que, con frecuencia, repetían el nombre de su hijo, de ese que ya había perdido para siempre y cuya imagen, mirando desde el balcón, pretendía ver tendida en el patio, junto a los hermanos de la bisabuela, cubiertos por las mariposas que a millares salían como lucecillas, por las rendijas del pozo. Tenía que estar allí, boca arriba, lívido y en paz, con los brazos en cruz, bañado por la luna redonda, de plata, que giraba y giraba desde lo más alto, desde lo más profundo, desde lo más hondo del fondo del cielo... Hasta a mí me parecía, a veces, verlo allí convertido en otro distinto, irreal y lejano, muy lejano a nosotros, donde las cosas son de otra manera, donde no existe el tú y el yo, donde nada separa a nadie, sino que todo y

todos son como una sola cosa de luz que crece y crece y crece... siempre hacia un mismo punto...

No sé lo que llovería aquel verano. Desde el huerto se veían las nubes como enjambres de nubes que pasaban libres, solitarias, lo mismo que cañonazos de nubes disparados, cuyos ecos se perdían sobre las cumbres ocultas.

Sin embargo, nadie se olvidaba de la guerra. Era una palabra viva y a la vez muerta, como un idioma común a todas las personas, ya que todas se afanaban por repetirla, por hablar de la guerra de antes, de la guerra de ahora y hasta de la guerra de mañana...

—El mismo Cristo, cuando le preguntaron, dijo que Él no había venido a traernos la buena vida, sino la guerra...

La guerra... la guerra... Siempre esa tremenda palabra en la boca de los unos y de los otros. Desde que nací, siempre ese horrible estribillo. Pero, ¿quién gana las guerras?

—Las guerras no las gana nadie...

Debía estar muerto de sueño, porque sentí sobre mis ojos la mano suave de mi madre y hasta su aliento cerca de mi rostro. Ni sé lo que ya estarían hablando ni las cosas que a mí, entre sueños, se me estarían ocurriendo. Sólo recuerdo que me veía condenado para siempre con esa palabra escrita en mi cara, GUERRA, tapando mi boca, tapando mis ojos, tapando mis oídos, como un sello de pólvora y de asco que ya nada ni nadie ni nunca podría quitarme.

Al despertarme, la luz era blanca en los alcores y empezaba a brillar, como un limón exprimido, la torre de la iglesia, con su veleta de metal, a medio caer.

LA tierra, a partir de entonces, pareció cubrirse de silencio. Después de la guerra, ¿qué otra guerra? Porque todo era una sucesión sin límite, un campo infinito, un porqué para cada cosa. Oía, vagamente, los ayes, más que los pasos, de la abuela (ahora casi inválida, oculta y medio enterrada en una montaña de trapos, alejada de la vida, sin querer saber ya nada porque todas las lecciones las tenía ya aprendidas). Ni siquiera yo me atrevía, muchas veces, a hacerle ninguna pregunta. Saber es padecer. Saber es ir deshojando a la vida del misterio. El corazón de la vida está repleto de sangre.

—¿Por qué dices eso?

Ni sé si lo dije. Me sorprendió su voz saliendo de las tocas. Su voz tupida, de luto, medio oculta.

Negué con la cabeza. Negué porque no quería decir ni contestar. Negué porque deseaba mi anulación ante la vida. Después de todo, ¿qué camino, qué sueño, qué promesa? Desde la ventana, la luz, como un pizarrín largo, rayaba el horizonte. Estaba seguro de que pronto volvería la lucha. En toda guerra está siempre la semilla de la siguiente.

Vi su mano nacer de los trapos y quedarse levantada como una interrogación. Pálida, casi una hoja de sauce acribillada por el otoño. Cerré los puños y golpeé la mesa, impotente y perdido.

Muchas veces he tratado de recordar esos días, de entrar en mi mente y palpar las cosas que, entonces, me atormentaban. Del plano de las preguntas había pasado, de repente, al plano de la confusión. No era eso o aquello lo que me preocupaba. Ni este ni el otro bando, palabras o signos, para mí, sin un senti-

do concreto. Lo que de veras me arrastraba era el destino del hombre. El porqué de todas sus constantes luchas.

Yo veía el rostro de la abuela como la cara de un animal cansado y moribundo. Abrí la ventana y vi el pueblo, con sus casas limpias, deslumbrantes. La plaza, con su iglesia, la acacia y el pilón. También los nuevos rostros que, con el fin de la guerra, andaban por todas partes.

—A un viento sucede otro viento...

Fue entonces cuando, en las veladas de aquellos días, con sus manos de junco, unidas como en un cesto, sobre su falda, le oí a la abuela hablar, con rabia y con tristeza, de los cosechadores de la guerra, de ese tropelío venido de repente que iba recolectando, como ángeles del mal, los frutos de la sangre y de la pólvora. De la sangre y de la pólvora... De la sangre y de la pólvora...

Los tiempos se hacían duros. Al azul sucedía la sombra. Las nubes se pintaban sobre la sierra, con sus brazos oscuros, cayendo en los campos y aplastándolos.

—Entonces, abuela, ¿no son ésos a quienes nosotros esperábamos?...

Casi parecía que iba a llover. Tanto que tuve que cerrar la ventana. Fuera quedó el rumor, el repique, la pared blanqueada de la calle. La abuela había tapado su rostro otra vez con aquel manguito viejo. Ni me contestó, ni yo insistí. Miraba sólo aquella oscuridad, ese calco de la calle, donde las casas, una a una, se iban enterrando. Cerré los ojos y vi la luz de la casa. ¿Dónde estaba aquella luz? ¿Qué había

sido del sufrimiento? ¿Qué sentido el sentido de la luz y de todos los días?
—Yo esperaba a mi hijo...
Todas las madres esperaban a sus hijos.
Su hijo era, también, sus sueños. Las muchas esperas detrás de la persiana. Porque ellos traerían la justicia. Porque ellos traerían la verdadera libertad. Porque ellos darían a cada uno lo suyo. Porque cada cosa será cada cosa. Porque amanecerá verdaderamente...
—Abuela — le busqué la cara —, ¿qué es lo que estás diciendo?
—Yo di todo lo que tenía y todo lo que no tenía...
Levantó la cabeza y se quedó mirando la calle.
—¿Quién se ha bebido la sangre de mi hijo?
Su cuerpo parecía un columpio que una y otra vez, una y otra vez fuera repitiendo ese quién interminable que la iba dejando hueca, vacía, estéril, desértica...
—¿Y ahora?...
—¿Ahora?...
¿Qué quería decir ahora?... Ni ella misma se supo contestar. Parecía detenida delante de una puerta. La vida es la verdad que avanza a través de una selva enmarañada. A cada paso de la vida, sucede el asalto de la cizaña, cegando los caminos.
—Ésta ha sido una mala guerra...
Entró mi madre y, al oír la voz de la abuela, se echó a llorar sin saber por qué lloraba, adivinando no sé qué misterios, no sé qué melancolía en el tono de voz de la abuela, pensando, quién sabe, que de nuevo iban a volver los días pasados. Y lo malo es que

la abuela ni parecía darse cuenta de su presencia, ya que no perdía el ritmo de sus brazos y de su cabeza, que se agitaba como la cabeza de un pájaro de luto, de un pájaro tétrico que fuera chapoteando por la lluvia.

Oía yo el llanto desparramado de mi madre, sentada en una silla, las piernas abiertas, abandonada, limpiándose con las manos las lágrimas que le corrían por la cara. A cada palabra de la abuela, a cada una de sus advertencias, a cada una de sus amenazas, ella arreciaba su llanterío, sus miedos horribles a los fantasmas del pasado.

—Ésta ha sido una mala guerra, porque sus frutos han ido a parar a las manos de unos pocos, como si esos pocos fueran los todos de la patria.

—Ha sido una mala guerra porque nos ha hecho perder la fe, la esperanza y la credibilidad en sus motivos. Y no porque sus motivos no fueran motivos suficientes, sino porque surgieron de la nada esos seres malignos, esos seres horribles, esos seres inhumanos que son los cosechadores de la guerra y todo lo han ido transformando en polvo, en ruindad, en puro asco...

—Una mala guerra porque nos han convertido a todos en nada. Ahora, ¿qué haremos?...

Seguía impasible su retahíla de palabras, su enhebrar de ideas que salían en cadena por su boca desdentada, por esa puerta del ayer, por sus labios maduros y blandos. Y yo pensaba que a través de su boca salían las voces ocultas de sus abuelos en un trenzado de historias y de conocimientos, como si se empeñara en ir resumiendo todos los recuerdos es-

condidos en su mente. ¿Por qué decía la abuela aquellas cosas? ¿De dónde le salía ese tirón de la vida, como si la vida se le fuera escapando por la boca lo mismo que una flor reventada y caliente?...
Le dije:
—Abuela, mañana vamos a ir al campo.
Lo dije por decir, sin saber realmente lo que quería decir con esa idea de ir al campo. La oí romper su risa bajo la tela, lo mismo que se rompe un papel suave. Porque dijo: Sí, al campo. Y mi madre cortó su llanto y nos miró a los dos como diciendo, ¿qué es lo que pasa? Porque en seguida, al vernos callados, volvió a reemprender su lloro, tapándose la boca con el puño, con aquellos ojos grandes y mojados.
Vino la noche por la ventana, y los tres, en el cuarto, a la sola luz de la calle, nos transformamos en tres sombras horribles, en tres animales de bruma y de sueño, que miraban sin ojos, que hablaban sin boca y que oían sin oírse, como si no existieran, existiendo realmente...

TEMPRANO me metía en el huerto y me pasaba las horas allí jugando, en el invernadero, a los pueblos, a los soldados y a los aparatos que venían a bombardear y todo lo destruían. Corría el huerto llevando de la mano aquel terrible bombardero (un trozo largo de madera cargado de piedras) que remontaba, aceleraba y, finalmente, lanzaba en pico sobre aquellos ladrillos formando pueblo que, rápidamente, quedaban convertidos en ruinas. Era el único juego que le estaba permitido aprender a un niño durante aquellos años. Me asomaba a la tapia y veía el campo, los frutales y la acequia que corría, entre juncos, hasta oírse, alborotada, en el sifón. El cielo se abría limpio sobre la sierra y el volar ocre de los montes, como dientes. Yo decía: Todo este valle, este pozo largo y profundo, es la cabeza pelada de un cadáver. Me quedaba un rato mirando así, imaginando cosas, recordando los meses pasados cuando la guerra se encendía y se apagaba, de noche, sobre la blanca nieve. El cielo resplandecía, se quedaba de día un instante y, en seguida, caía en la tiniebla para volver a encenderse azulado, amarillo o violeta.

Pero ya la guerra se había terminado. Se había terminado aun cuando yo continuara jugando a la guerra. Aun cuando todavía no hubieran regresado de ella mis dos tías locas. Aun cuando supiéramos que estaban presas y la abuela, absurdamente, se negara a querer hablar de ello y de ellas. Estaban en la cárcel, por rojas, desde la muerte de sus maridos. Desde que aquéllos fueron fusilados por un Consejo de Guerra. Las canciones continuaban siendo de guerra y se hablaba y se reía y se dormía y se bautizaba

y se casaba siempre, siempre, hablando de la guerra. En todas partes se encontraba escrita: en las calles, en las cicatrices. En las cárceles y en los fusiles. En las tapias y en los amaneceres. Sobre todo en la tierra mansa, en la tierra dulce y tranquila. En la tierra relajada y amante. En la tierra empapada y caliente...

—A una guerra sigue otra guerra...

—A una matanza otra matanza...

—A un adiós otro adiós...

Yo seguía mi juego alegre por el huerto, llevando y rellevando aquellos aviones poderosos que salían como espadas de fuego sobre las nubes y que, en un ziszás, todo lo barrían, todo lo convertían en sangre y en ceniza. Luego venía la represión. Yo mismo llevaba mis muñecos a la tapia. Yo mismo les tapaba los ojos con una hoja larga de eucalipto que les enrollaba en la frente. Yo mismo decía ¡fuego!, y yo mismo, con la mano, los hacía caer sobre el polvo hasta que los veía muertos del todo, de bruces o de cara, acabados para siempre.

Aquélla era la guerra guerra. Una guerra que volvía a empezar con esa lascivia, con ese frenesí, con ese placer entrañable del terror y de la venganza. Por eso, al rato, volvía a repetir mis fusilamientos, y una y otra vez caían aquellos hombres que no eran hombres, sino simples pedazos de madera que se quedaban allí con los ojos fijos, con la sangre dulce y salada tirada por el suelo. Y me cobrecogía el silencio que sigue siempre a ese silencio, cuando a la muerte sucedía el dorado del sol, el gemido del viento y los pájaros tan señeros por el cielo. Nunca sabría explicar

qué pasaba de verdad con la muerte. Qué sentían aquellos hombres que yo veía morir y morir en tandas interminables, en un juego de naipes o de dominó, delante de la tapia sucia en la que, todas las tardes, también jugaban las lagartijas y las moscas.

ME llamó mi padre desde la ventana. Me llamó, y su voz, lo noté, era agria. Desde hacía algún tiempo lo veía pagar conmigo no sé qué enfados, no sé qué tristezas. Me regañaba por cualquier motivo. Me decía que me estaba convirtiendo en un golfo, en un gitano. Porque, seguramente, tú a lo que aspiras es a ser un don nadie. Lo decía convencido de mi anarquía, de ese importarme todo absolutamente nada. Era un desdén por la vida, un desencanto hacia lo visto y lo por ver, sin que encontrara, por más que lo intentara, ansias de vivir, como si lo único importante fuera ese rotundo ser por el simple hecho de parecer ser. Me llamó y me dijo ven en seguida, y yo, conociendo su genio, corrí y me paré delante de él, mirándole, como diciendo aquí me tienes. Me midió con la vista y me dijo: Vienes hecho un desastre. Fue entonces cuando me di cuenta de que estaba sucio, sucísimo, de que tenía los pantalones manchados de tierra, de que tenía los zapatos cubiertos de barro.

—Un desastre — remató mirándome por delante y por detrás y llevándome luego, cogido del hombro, hasta la sala, donde estaba la abuela atenta a la regañina de mi padre.

—Mira cómo viene — le dijo, poniéndome delante de ella, y yo me vi como un reo delante del juez —. Este niño me preocupa. Me preocupa porque le veo sin ilusión. Porque no tiene inocencia. Porque a veces lo miro y no me parece un niño. ¡Yo no sé qué es lo que tiene en la cabeza! Pero te prometo que esto se va a terminar...

Era terminante. Yo le oía en silencio. Le oía y le mi-

raba aquella pierna dislocada que cada vez le servía menos de nada.
Me llamaría muchas veces y me diría cosas parecidas. Y yo seguía viéndole así, herido, un soldado mutilado. ¿Por qué mi padre no había estado en la guerra, como el tío Miguel? ¿Por qué aquello que tenía no era consecuencia de una bomba o de un tiro?... Mientras me regañaba, yo me iba inventando no sé qué historias sobre aquella pierna tronchada, que ya no era pierna ni era nada, sino un remo que paleaba, en mitad del cuarto, intentando sacar su cuerpo a flote.
Aquel día mi padre me abofeteó delante de la abuela. Me pegó y yo no sabía realmente por qué me daba aquella paliza, sin que yo por eso soltara una lágrima, negándome a llorar, no queriendo, con rabia, doblegarme a ese castigo injusto, porque yo no sabía ni comprendía la razón de aquellos tortazos en mi pleno rostro, hasta dejarme la marca no sólo en mi labio partido, sino también en el corazón... Puede que mi padre tratara de hacer de ese modo su pequeña guerra pendiente, esa guerra que tenemos y tenemos que hacer siempre los españoles, porque, si no la hacemos, ni nos sentimos libres, ni vivos, ni muertos, ni nada. Sin entender ni comprender, de alguna manera me di cuenta de que yo simbolizaba el otro bando de mi padre.
Y yo sabía que aquello contra mí no era, en verdad, contra mí, sino que algo amargo pasaba por su alma, porque luego, más tarde, lo veía pesaroso mirándome sin quererme mirar, girando como una peonza, triste, sin poder decirme lo que sentía. Por eso quizá

la huella se me hacía más honda. Entonces, sin llorar, lloraba por dentro. Me desgarraba, me hacía trizas, me sentía como un trapo que se rasga y se desgarra. Y yo decía: ¿Por qué? Y no había respuesta para ese porqué que quedaba suelto, que estaba allí, entrañablemente unido a millones y millones de otros porqué...

Oí a la abuela diciendo basta, porque no sufría el que se me hiciera daño sabiendo, como sabía, las angustias de que yo había sido testigo. Basta, déjalo que haga lo que quiera. Y mi padre se enfadaba y decía que ella era la culpable de mi mala educación, de que siempre anduviera por ahí y de que me hiciera un perdido. Porque lo que deseaba es que yo no me hiciera un desgraciado como todos los de aquella casa. Que fuera distinto a él. Distinto al tío Miguel. Distinto a la abuela. Distinto a... todos. Pero eso que quería, que se empeñaba en conseguir, era un imposible.

Sin duda, cada uno es hechura de los suyos: nadie puede cambiar el destino de una familia, ni siquiera el destino de un pueblo. Si somos como somos, es inútil echarle la culpa a quien no la tiene. Lo comprendería más tarde, cuando, con el tiempo, me parara a meditar no sólo en mí y en los míos, sino en los bienes y en los males del país, que nada tienen que ver ni con el color ni con las ideas de los unos y de los otros, ya que, debajo, como la raíz que sostiene el árbol, está la sustancia y lo permanente. Por eso, por más que él lo quisiera, yo, en el fondo, sería lo que siempre fue nuestra casa, y nadie podría evitarlo. Y eso era lo que a él no le entraba, y discutía

muchas noches con la abuela, porque lo que había que hacer era romper con todos los sueños tontos del pasado y poner los pies en el suelo y comenzar una vida nueva.

Yo oía su voz segura, como si aquella voz no fuera su voz. No había duda de que algo se le había transformado por dentro, algo así como una congoja, como el temor a llegar tarde a alguna parte.

—Hemos perdido mucho tiempo. En este país siempre estamos perdiendo el tiempo — decía —. Somos un país de señoritos más que de señores. Nos gusta la buena vida, nos gustan las copas, nos gustan los toros. Todo nos gusta, menos trabajar. Los verdaderos señores son los primeros en la tarea y los últimos en el descanso. Así eran los antiguos señores de la guerra...

Yo veía a la abuela gesticular debajo del pañuelo, escondiendo la risa que la consumía y que, ante la seriedad de mi padre, no se atrevía a soltar. Mi padre seguía su monólogo, seguro y bien seguro de lo que decía. Yo miraba la tarde, que se deshacía violeta a través de la ventana y se perdía luminosa, dorada y transparente. Pero me hacían pensar, sin entender, las cosas que mi padre iba repitiéndole a la abuela cada momento.

—Si ahora no lo intentamos, algún día tendremos que empezar de nuevo...

Toda la noche, incluso en la cama, seguí preguntándome sobre aquellas amenazas de que hablaba mi padre, para quien el porvenir no se anunciaba halagüeño. Una sombra espesa parecía levantarse a su vista, y muchas veces dudaba yo si esa sombra que

tanto le asustaba no sería yo mismo, su hijo, perdido siempre en el huerto, jugando a la guerra y a la represión, y hasta ensayando desfiles militares por las veredas, haciendo la trompeta y el tambor al propio tiempo…

CREO que lo más doloroso para la abuela (a pesar de las muertes y de las deserciones) fue el día en el que alguien le propuso la compra de la casa. Aquella oferta suponía la anulación total de nuestra familia, el borrarnos y dejar de existir para siempre. Nunca pude leer de forma más clara, en aquel gesto de mármol de la abuela, que no acababa de entender lo que mi padre, sentado delante de ella, le estaba diciendo. La vi colocarse la mano, a modo de embudo, en la oreja y achicar los ojos para acabar de comprender lo que estaba ocurriendo. Era como si toda aquella historia del comprador la fuera apuñalando por dentro, ya que se llevó la mano al pecho, al estómago y terminó haciéndole un gesto a mi padre para que se callara, para que no siguiera por ese camino. Pero yo no sé si es que mi padre no se daba cuenta o si es que él también andaba interesado con eliminar la casa, porque siguió erre que erre con la propuesta de aquel comprador, aquel beneficiario de la guerra, aquel nuevo mandamás del pueblo, porque tiene usted que darse cuenta de que los tiempos han cambiado y que Anselmo Rodríguez es ahora como los Fernández eran antes de la guerra. Y la abuela le decía que por qué ahora los Rodríguez eran más que los Fernández, siendo así que los Fernández no habían luchado ni guerreado contra los Rodríguez. Y mi padre no sabía cómo explicarle, ni salir de aquel lío, mientras la abuela lo miraba fijo tratando de leerle por dentro, calándolo del todo. Por eso la abuela insistía una y otra vez en por qué los Rodríguez eran ahora más que los Fernández, siendo así, repetía, que los dos habían estado en el mismo bando,

hasta que, al fin, con un gesto, dijo, entiendo, entiendo, ese Anselmo ha estado aquí y allí y todo lo ha barrido para dentro.
Mi padre se encogió de hombros como diciendo eso será o, a nosotros, ¿qué nos importa? Y no se paró en otra cosa, recalcando que puede que lo más sensato fuera aceptar la oferta, terminar con el pasado, puesto que no era fácil levantar la casa, usted lo sabe perfectamente, y podríamos empezar otro tipo de vida...
Pero la abuela no comprendía, no sabía por qué tenía que dejar su casa, que era como su aire o su sangre, todo lo que tengo y he tenido siempre. Y hasta de esto me quieren desposeer...
—La casa, nunca.
Y no valió que mi padre, de pie, tratara de convencerla, de ponerla en razones.
—Esto es una ruina y usted lo sabe.
Pero ella repetía, nunca, nunca.
—Prefiero regalarla antes que dársela a ese Anselmo de las narices, quien ha hecho la guerra contra los unos y contra los otros. Porque las guerras como la nuestra nunca las gana nadie, y quien las gana es siempre un traidor a los dos bandos.
Yo había visto muchas veces a don Anselmo, vuelto de la guerra, con sus botas de montar y su fusta, paseando por el pueblo. A los pocos meses, se decía, todas las tierras y todas las casas eran suyas o medio suyas. Y nadie decía el cómo. Don Anselmo era un hombre importante. Don Anselmo viajaba y tenía influencia. Mal asunto era tener por enemigo a don Anselmo. Lo veía muchas veces por la plaza: erguido,

hombretón, dejando en el polvo las marcas de sus botas y sus espuelas. Cualquiera hubiera dicho que la guerra toda la había ganado él solo. En cierta ocasión en la que alguien se negó a malvenderle unas tierras, le cruzó la cara con la fusta, al tiempo que le decía desgraciado, después de que te hemos salvado la vida. Porque para don Anselmo todo el mundo era deudor suyo, siempre suyo...

La abuela acabó por erguirse y machacar el suelo, diciendo no, no y no...

—Antes la muerte... Antes le doy esta casa a los gitanos.

Su voz quedó repartida por el cuarto como un pedazo de papel que se echa al viento. Movía la cabeza y movía la mano y parecía que, en cualquier momento, podría salir volando y desaparecer a nuestra vista.

—Esta guerra todos la hemos padecido. No es justo que hombres como ése se lo apropien todo. No sé qué día nos daremos cuenta de que los hombres como don Anselmo son los verdaderos y hasta los únicos enemigos del pueblo.

—Abuela —le dije—, estás hablando como el Crisólogo...

Volvió la cabeza y se me quedó mirando estupefacta. Entonces fue cuando dejó de hablar. Se redujo en su butaca y le hizo un gesto a mi padre para que la dejara. Mi padre no replicó. Sabía que hubiera sido inútil, que la abuela jamás se desprendería de la intimidad de su casa, de su raíz y hasta de su vida para echársela a los perros. Vi la sombra de mi padre saliendo y cerrando la puerta, dejando en el aire el desaliento de su voz.

Mientras vivió la abuela, no fue mucho, aquella casa continuó siendo la casa de los Fernández. Lo fue aun a pesar de las sonrisas y de las buenas formas de don Anselmo, quien no le quitó nunca los ojos. Bien sabía que, tarde o temprano, la casa sería una fruta que caería madura en sus manos. Lo sabía él y lo sabía, también, la abuela. Pero mientras ella tuvo vida, jamás se volvió a tocar el tema. Yo la veía, temprano, caminar por los pasillos, abrir las ventanas y llamar, con ternura, con su voz de vencejo, a los pajarillos que venían a las ramas del caqui. Se estaba las horas allí, con la mano para quitarse el sol, sin dejar de hablarles, de palmotearles para que le prestaran atención, de darles migajas que ponía sobre la taza del agua. Pero todo era ya inútil. Los pájaros remontaban el vuelo y se perdían iluminados, como balas, por encima de la tapia. Todo había cambiado. Lo comprendía, con sus movimientos de cabeza. Una no sabe por qué todo es ahora distinto...

Y es que cuando algo cambia, no sólo cambia eso, sino que todo a la vez va evolucionando, va, inexorable, marcando su destino y nada del ayer, aunque parezca repetido, se parece al hoy, ni al mañana. Los hombres cambian. El idioma cambia. La temperatura cambia.

—Y todo es natural; totalmente natural...

—Entonces, abuela, ¿también es natural que don Anselmo quiera nuestra casa?

Asintió, sin mover los labios.

—Es natural que los buitres acaben comiéndose a los muertos.

—¿Dónde están los muertos?

—Todos los que han perdido el sentido de la vida son los muertos.
—¿Y nosotros, abuela?
—Nosotros también estamos muertos. Todo aquel que a la voz de ¡levántate!, es incapaz de ponerse de pie, es que está irremisiblemente muerto.
—¿Y Lázaro?
—Lázaro no estaba muerto; los muertos eran aquellos que no creían en su resurrección.
Ese día, desde la ventana, mirando la calle, me pareció que el mundo entero estaba muerto. Que nadie, a pesar de que iban de acá para allá, de que hablaban y se reían, estaba vivo. Parecen vivos, se creen que están vivos, pero la verdad es que son cadáveres. Hieden a perros y hasta tuve que cerrar la ventana para que la peste no entrara en la casa.
En tanto, en la semisombra, la abuela seguía absorta en sus meditaciones. No es fácil saber lo que se ve desde la cumbre de la vida. Las cosas importantes se reducen a cenizas. Porque nada, por muy serio que sea, es eterno. Todo cumple su ciclo y, al final, se olvida. Pasó Roma y pasó Napoleón. También pasará América y pasarán los ismos. En realidad lo único que permanece es el hombre, la humanidad, el sentido de la vida.
—Si te fijas bien, es lo único que queda. Lo demás son estratos.
Hubiera sido inútil que yo intentara entender lo que ella quería decirme. Eran muchos años, como un abismo, entre los suyos y los míos. Yo sólo sabía mirar y descubrir las cosas que la vida iba poniendo a mi alcance. Me sorprendían las grandes y las pe-

queñas cosas: todo, al fin, es sorprendente. Me gustaba ver salir el sol, rompiendo su luz sobre la montaña. Y me gustaba verlo desbaratarse y acabar, entre nubes de talco, sobre los montes verdes y azulados. Miraba el pueblo, con sus torres y sus paredes blancas, y yo sabía que el pueblo era como un libro cuyas hojas éramos nosotros, los que vivíamos allí. Más allá, mirando lejos, puede que no existiera nada. La vida es nuestro entorno. Miraba el cielo, azulado y limpio, y los pájaros que pasaban suaves, con sus alas de pluma, casi increíbles, lo mismo que peces entre aguas. A la tarde la luz se entristecía y los árboles parecían de plata. Me quedaba así, contemplativo, sin saber, en verdad, si yo también debía contarme entre los vivos o entre los muertos.

LLEGAR a lo alto de la vida es empezar a ver el final. Yo no sé por qué, los de mi edad, sin motivos, nos dimos cuenta de que, aun siendo niños, habíamos envejecido de repente. La vida, la guerra y las personas empezaron a pesarnos terriblemente. Parecía que el frío nos había helado en mitad del camino y que éramos ya, tan pronto, árboles desnudos y perdidos. Habíamos visto pasar primero a los de un lado y, ahora, veíamos llegar a los del otro. Y nadie parecía caer en la cuenta de que nosotros estábamos allí, de que nosotros existíamos, de que también nosotros, más que hecho, habíamos sufrido aquella mala guerra. La teníamos escrita en la piel, en los ojos, en el temblor de las manos...

—¿Por qué dices eso?

—¿Yo?

Bajé la cabeza sin saber qué decir. Ni siquiera estaba seguro de haber pensado lo que había pensado.

Se levantó y vino despacio hasta el balcón. Se veía la tapa del pozo y la enredadera que trepaba la tapia. Todo era silencio. Señaló con el dedo y dijo: Todo eso es el tiempo, unas cuantas hojas secas por el suelo. Pero yo la miraba a ella y veía sus ojos apagados.

—El tiempo es un soplo.

Me acordé de cuando el tío Miguel exhaló su último aliento. Un soplo..., como una luz que de repente se apaga.

—Todas esas puertas que se abren, algún día se cerrarán — dijo también.

Sus palabras tenían sonido a metal viejo. Pensé en la campana de la torre, con su eco estridente y horri-

ble. El cielo era azul desde el balcón. Azul y maravilloso, veteado por el resplandor de los tejados. Envejecía la tarde, que se gastaba y se moría haciéndose polvo, puro polvo, entre los dedos del viento. La abuela, con la mano en la baranda, dijo: Estamos locos, locos perdidos. No nos damos cuenta de que ya, de que ahora mismo, como todas las cosas, nos estamos transformando en polvo. No nos damos cuenta de que nadie se muere en un instante, sino de que todos los días y todos los minutos de todos los días nos vamos muriendo poco a poco...
Yo la miraba boquiabierto, sin acabar de entender aquel galimatías. ¿Por qué se obsesionaba con la muerte? ¿Qué es, en definitiva, morir?
—¡Si yo lo supiera! —me contestó.
Veía su mano, como un pájaro a punto de echar el vuelo cada vez que la levantaba y trataba de arreglarse el pelo. Venía el olor del campo. Tenía que haber llovido en alguna parte.
—¿Y todos hemos de morir?
Aquella mano se le movió de risa, negando después.
—¡Qué cosas dices! Si no morimos los viejos, ¿cómo vais a vivir los jóvenes? En esta vida, todos tenemos nuestro turno. El mío ya se está terminando...
—Abuela, ¿quiénes son los pobres?
—¿Los pobres?
—Jesús amaba a los pobres.
—Claro que amaba a los pobres. Lo que pasa es que para Jesús los pobres son los pecadores que buscan su salvación.
—¿Eso qué quiere decir? ¿Y Dios?
Se ponía las manos en la cabeza.

—Podremos prescindir de Dios y la mayoría no nos acordamos de Él para nada, pero no podremos prescindir de sus sucedáneos. ¡Cuánto absurdo!

—Abuela, ¿en el cielo también hay bandos?

— ¡Qué tontería! Dios murió por todos y ya está.

Sí, quizá desde lo alto de la vida se vea ya cómo declina el sol. Cómo las nubes se juntan en el horizonte y la sombra lo inunda todo. Entonces, lo que ayer era imprescindible, hoy ya no sirve para nada. Toda perece. Desde la flor más radiante, a la mujer más hermosa. Me parecía ver su dedo señalando las hojas muertas que el viento arrastraba y barría. Y yo pensaba: Una y otra vez la vida rehace su obra. La vida es humilde y se corrige. ¿Por qué nosotros no enterramos y olvidamos esta mala guerra, este tú y este yo, este de aquí y este de allí y, sobre todo, construir, construir, construir lo de todos para todos y con todos?... ¿Por qué no es ésa nuestra primera cuestión?... ¿Hasta cuándo irá de un lado para otro este péndulo, ese tictac, ese tú, tú, ese yo, yo, ese mío, mío, ese... ese... ese... nuestro...?

TODO se habría olvidado (la guerra, la muerte del tío, la prisión de mi padre) si aquel domingo, sentados todos en la sala, no hubiéramos oído de pronto, con completa nitidez, lo mismo que en los viejos tiempos, el lloro aniñado y tristón de tía Peregrina, quien, aquella tarde, no atreviéndose a llamar, se había quedado allí, delante de la puerta, dejando que su llanto de niña tonta y loca subiera, como un viento, la escalera y entrara en el cuarto. Al cabo del tiempo casi nos parecía imposible que, como si nada, lo mismo que entonces, volviera a oírse ese no sé qué de mosquita muerta que era aquella tía sentimental, que se echaba a llorar por cualquier tontería. Por eso, al sentirla dentro de sí, sin poderlo remediar, la abuela se abrazó a su bastón amigo como el náufrago que se coge a una tabla y se quedó firme, las orejas levantadas, casi un podenco a punto de cazar su presa. Era así como yo la veía, preparada, sin quitar los ojos de ese punto invisible que eran sus dos hijas pródigas. Fue entonces cuando mi padre se puso de pie, salió, abrió la puerta, encontrándose con aquellas dos sombras estrafalarias y delgadas, vestidas de negro sucio, con las cabezas envueltas en una especie de turbante hecho con retazos de camisa teñida. No sé qué pensaría mi padre cuando se encontró con aquel cuadro: tía Peregrina llorando y tía Santo pálida, sosteniendo, de la mano, una maleta de soldado. Oímos sus pasos, oímos el lagrimeo monótono y chillón de la tía, quien trataba de decir alguna cosa, negándose a comparecer delante de la abuela, quien, tensa, había terminado por esperarlas de pie, apoyada en su bastón, sin quitar los ojos de la puerta, hasta

que aparecieron aquellos dos fantasmas de sus hijas, aquellos despojos de la guerra, aquellos mamá, mamá, indecisos y tímidos. Fue entonces, al tenerlas delante, cuando ella recobró sus energías perdidas y clavó las uñas en el brazo del sillón a punto de sacarle la sangre si la tuviera, y luego, como una bola, como si toda la boca, los labios y los dientes se le hubieran convertido en la boca de una escopeta, les apuntó y les disparó al tiempo que, convulsa, machacaba el suelo con la punta del bastón, levantaba la mano, la cerraba y la agitaba amenazando en el aire, haciéndole decir esas cosas tan tremendas que ella, de ninguna manera, pudo escupir.

—¡Excarceladas! ¡Rojas perdidas!

Porque era de la cárcel, después de varios meses de prisión, de donde ahora salían con libertad provisional, marcadas y humilladas. Horriblemente marcadas cuando, con pudor, se quitaron aquellos turbantes de luto y dejaron a la vista sus cabezas rapadas y afeitadas, blancas y brillantes, como las cabezas de dos efebos. Fue por eso y no sé por cuántas cosas más cuando la abuela, al cabo de los años, perdió de pronto el bastón y cayó sentada en su butaca, al tiempo que se orinaba patas abajo, sin dominio ni control, desorientada y confusa, mojándose las medias y los zapatos, en una meada que, en ese momento, al cabo de su vida, era un lloro amargo y solitario.

—¡Mierda, mierda, mierda!

Diría muchas veces.

Porque nada de lo pasado, ni los soldados, ni los incendios, ni el avión derrumbado, ni las muertes, nada de aquello tenía tan horrible rostro como el que

trajeron mis dos tías locas perdidas, sentadas, encogidas y cobardes, llorando sin llorar, hablando sin hablar, viviendo sin vivir, porque ahora ya no tenían derecho a tener derecho, eran dos rojas, dos vencidas, y los que pierden son ya como nada, como tierra que se pisa o como saliva que se escupe.
Creo, y no miento, que acaso fuera ese día, después de la contienda, el más ruin de la guerra. El día en que nos dimos cuenta de que, entre dos frentes, todo lo habíamos perdido. De que nosotros no habíamos ganado nada, nada. Por eso, estupefacto, mirando a los unos y a los otros, sin poder expresar lo que sentía dentro de mí, acabé soltándole una patada al bastón de la abuela.

QUIZÁ lo mejor es que todo hubiera sido mentira y que ninguna de aquellas cosas hubieran ocurrido nunca. Que aquellas dos niñas nunca hubieran existido, sino que hubieran sido producto de la mente, pura fantasía, y que ni la guerra, ni la muerte, ni todas las demás cosas que habían sucedido hubieran pasado realmente. Muchas veces yo mismo pensaba en todo esto, me sentaba delante de los libros y me empeñaba, yo solo, en meterme en la cabeza, casi a golpes, el que nada de lo que había conocido había pasado nunca... nunca...

—Todo es mentira. Yo nunca he tenido dos tías locas. Yo nunca he tenido un tío Miguel. Yo nunca he visto a los fusilados, nunca, nunca...

Y me pasaba las horas escribiendo esa palabra en la pizarra: Nunca, nunca... hasta que me quedaba cansado, inerte, con los ojos perdidos en un mundo de silencio.

La tarde venía verde por la ventana. Un azul de tela vieja, de árboles viejos, se deshacía sobre la línea del campo. Veía la sierra como dibujada sobre un papel grande, con su cresta de nieve y las nubes, ligeras, cabalgando hacia lugares ignotos. Nunca, nunca...

Puede que la única guerra de verdad fuera aquella de hacía muchos años, cuando los franceses pasaron por el pueblo y fusilaron, en el patio, a los hermanos de la bisabuela. Allí, todavía, estaban vivas sus sombras muertas, tal como quedaron aquel día, con la luna impregnando sus tremendas manchas de sangre.

Anochecía cuando, despacio, bajé hasta el huerto y destapé el viejo pozo donde un día yo mismo vi, colgado, el cuerpo de la bisabuela María del Carmen.

Pero, ahora, al quitar la tapa, sólo salió de allí el hedor de la humedad, su tremenda bocanada de vacío. Miré y sólo vi, honda, la moneda fría del agua inmóvil y callada. Ya no estaba para nunca aquella bisabuela romántica. Todos los sueños habían desaparecido de repente. Cuando subí de nuevo, la abuela parecía más vieja que nunca, como si supiera que yo también sabía... Ése fue el último día que la vi levantada; a partir de entonces todo empezó a cambiar...

Alguna vez, al cabo de tantas cosas, tendría que preguntarme si la guerra de verdad hacía tiempo que había terminado o si, por el contrario, de alguna manera, aquella mala guerra continuaba existiendo por alguna parte. Todavía se veían soldados, con fusil y bayoneta, que pasaban hacia un lado o hacia el otro. Se hablaba de la lucha guerrillera que continuaba en la montaña.

Pero lo que más recuerdo fue el día en que los mismos aviones que nos arrojaban las bombas en la guerra, de repente, se asomaron sobre las nubes y bajaron hasta los tejados del pueblo y nos bombardearon, de manera insólita, con una lluvia de florecillas rosa, blancas y amarillas. Todos vimos cómo bajaba ese maná del cielo, esa llovizna multicolor y dulce que fue renovando nuestras casas, la plaza, la iglesia y la carretera. Como pude recogí con las manos un puñado de aquellas florecillas y las llevé a mi casa, depositándolas, con veneración, sobre la mesa limpia del comedor, como si de algo sagrado se tratara. Mientras los apa-

ratos se alejaban de nuevo, recuerdo el llanto de mi madre y de la abuela, petrificadas ante las flores, sin atreverse por nada a tocarlas. Más que flores, pienso, eran como el aliento o el alma de tantos y tantos como la guerra cruel se había llevado por delante. Por el balcón la tarde se empañaba de un azul triste, cuando yo mismo volví a recoger las flores y las guardé religiosamente en el cajón de la cómoda.

En seguida, en cuanto el verano se apagó y las primeras lluvias del otoño aparecieron sobre la raya del cielo, la abuela dejó primero de salir de su cuarto y luego ya no pudo levantarse. En realidad, ya le daba lo mismo vivir que estar muerta: todos los caminos los tenía andados y, ahora, como ella decía, sólo me resta esperar...

Y esperar es lo que hacía, sentada, con el rosario en la mano y la cabeza caída sobre la almohada.

Un día me dijo:

—Ven.

Me acerqué para ver lo que quería. Me contó que en aquel cuarto habían nacido su madre, ella misma y todos sus hijos.

—Tú también has nacido aquí.

En ese momento la alcoba me pareció sagrada. Levanté la vista y vi la lámpara que se descolgaba del techo. Vi la cómoda. El lavabo, con el jarrón y la jofaina grande, de porcelana. Todo lo mismo que hacía cien o más años.

—Siéntate — me dijo.

Me senté, mirándola, pensando qué cosas tendría en

su cabeza. Su vida, sus amores, sus alegrías estaban guardados allí como dentro de un arca.
—Abuela, ¿quieres que te lea algo?
Movió la cabeza diciendo que no quería que le leyese nada. Por la ventana, la luz se entristecía y los ruidos se apagaban dejando en el cuarto una fragancia de flores marchitas a punto de perecer.
—Pronto llegará el invierno.
Vino mi madre y le dejó una taza de leche en la mesita.
Yo le hubiera preguntado, abuela, ¿qué es el invierno? Habría sido una pregunta inútil. El invierno era ella.
—Abuela, ¿qué es la vida?
La vi con ganas de aferrarse al bastón, queriendo cogerlo.
—La vida es tener ganas de vivir...
Una tarde se incorporó en la cama y me pidió todas sus cosas: los espejos, los peines, los polvos, porque decía que había recibido una carta de su hijo en la que le decía que llegaría a casa esa misma noche. Hubiera sido cruel contradecirla. Recuerdo que todo se lo fui dejando sobre la cama, mientras contemplaba cómo cogía cada uno de aquellos objetos e intentaba arreglarse el pelo y se blanqueaba de polvos las mejillas. Aquella noche se agravó muchísimo y mi padre me mandó para que avisara al médico y al cura, quien, a los pocos momentos, llenó la casa con el taconeo de sus botas militares. La abuela, que ya no tenía fuerzas para nada, se quedó dormida ya de madrugada. Nunca me hubiera figurado que ese sueño era la muerte.

Ha pasado mucho tiempo y todos esos recuerdos parecen flotar en alguna parte. Y yo me digo: ¿Pasó todo eso? ¿Ocurrió alguna vez? Y, sin embargo, no se me quitan por nada aquellos ojos de viejo can de la abuela clavados en mi vista y que parecían esperar no sé qué... Veo su cuerpo, como el de una niña, encogido y tierno, tendido en el suelo, con su camisón de dormir, que no le tapaba los pies. Y veo sus manos juntas sobre su pecho, enlazadas con un rosario. Y veo su cabeza, apretada por un pañuelo, para que el labio no se le cayese. Y veo su sueño, su enorme sueño para siempre, dormida y olvidada, completamente lejana, sin comprender qué misterio, qué muro, qué barrera se había levantado, de pronto, entre ella y nosotros. No lloré, sino que estuve mucho rato viéndola así, recién muerta, tendida en el suelo frío, mientras alguien iba desnudando de cosas la habitación como si, con ella, también se hubieran muerto todos aquellos recuerdos que allí vivían. Por la ventana entraba la luz del sol y se oían los pájaros, a millares, picoteando en los árboles. El verano moría, y la luz, sobre las colinas y sobre los álamos, tenía un dorado suave de aguas ocultas.

Ni me parecía verdad que fuera posible aquello que había pasado. Vi cómo se llevaban la butaca y el bastón de la abuela y sólo quedó allí, en mitad del cuarto, toda su ausencia. Hasta me acerqué a la alcoba aquella en la que todos habíamos nacido y dudé de que de ahora en adelante pudiera servir para algo. ¿Sería yo capaz de conservar aquella casa, tan vieja

y tan apuntalada, tan barrida por los vientos de la guerra? De pronto sentí sobre mí el peso de aquella familia, de los abuelos y de aquellos tíos extraños, muertos de manera rabiosa, talados como árboles, fusilados en el patio, o quién sabe en qué parte del mundo. Todo estaba salpicado con la sangre de todos. Noté el nudo que se me hacía en el pecho cuando, estando así, noté en mi hombro la mano de mi madre que debía estar contemplándome y que, al mirar, vi sonreírme tiernamente como si, de repente, hubiera recobrado todas las razones perdidas. Me dijo, ven, y me llevó con ella al balcón para que viera el cielo limpio a esa hora, sin una nube, que relucía sobre las casas blancas del pueblo y sobre la torre de la iglesia, con su veleta y su cruz de hierro.
Me dijo:
—¿Te gusta?
Y yo la volví a mirar porque, de repente, me pareció reconocer en su voz la misma voz de la abuela. Luego levantó la mano y me hizo la señal de la cruz en la frente.
—Para que Dios te libre de los malos pensamientos...

DÍAS después, con mi camisa, mi pantalón y mis calcetines de luto, me mandaron a la escuela. Era un día de septiembre de 1939, y los alemanes, lo decía el periódico, habían invadido Polonia. Mientras corría hacia la escuela sin saber quiénes eran los alemanes ni dónde estaba Polonia, las nubes pasaban sobre las copas de las moreras, y el cielo, a trechos, se abría azul, como un mar de papel suave y cristalino. Empujé la puerta y dije:

—¿Se puede?

Sólo vi cabezas de niños, quienes, desde sus pupitres, al oírme, se me quedaron mirando. Yo también los miré. Algo, que no sabía, me hacía mirarlos fijamente. Todos tenían en su rostro un no sé qué, una mirada extraña, como de papel viejo y sin sonrisa. Como si los unos fuéramos espejo de los otros.

—Adelante — oí la voz del maestro, quien, serio, no me quitaba ojo desde su mesa.

Era mi primer día de escuela…

Cádiz, Granada, Almería, 1976/1977